FOLI
colle
GÉRA

Lafayette

par

Bernard Vincent

Gallimard

Crédits photographiques :

1, 4 : CG43. 2 : RMN – GP (Château de Versailles) / Gérard Blot. 3 : Bianchetti / Leemage. 5 : RMN – GP (Château de Blérancourt) / Jean-Gilles Berizzi. 6, 18 : RMN – GP (Château de Blérancourt) / Gérard Blot. 7 : Franck Guiziou / hemis.fr / AFP. 8 : Josse / Leemage. 9 : RMN – GP (Château de Blérancourt) / Franck Raux. 10 : The Metropolitan Museum of Art, Dist. RMN – GP / image of the MMA. 11 : The Art Archive / Hôtel de Ville de Paris / Gianni Dagli Orti. 12 : RMN – GP / Agence Bulloz. 13 : RMN – GP (Château de Versailles) / D.R. 14 : FineArtImages / Leemage. 15 : BnF, Dist. RMN – GP / image BnF. 16 : Roger-Viollet. 17 : Lamontagne / Leemage. 19 : Rudy Sulgan / Corbis.

Bernard Vincent est professeur émérite d'histoire et civilisation américaines à l'université d'Orléans et enseigne à l'université Cá Foscari de Venise. Ancien président de l'Association française d'études américaines, il a consacré de nombreux ouvrages à l'histoire des États-Unis : *Thomas Paine ou la religion de la liberté* (Aubier-Montaigne, 1987), *Amistad : les mutins de la liberté* (Archipel, 1998), *Le sentier des larmes : le grand exil des Indiens cherokees* (Flammarion, 2002), *Présent au monde : Paul Goodman* (Bordeaux, l'Exprimerie, 2003), *Histoire des États-Unis* (en collaboration, dernière édition, Flammarion, 2012), *La « destinée manifeste » : aspects politiques et idéologiques de l'expansionnisme américain au XIXe siècle* (Éditions Messene, 1999), *Abraham Lincoln* (éditions de l'Archipel, 2009). Il est également l'auteur d'un *Dictionnaire français-anglais des expressions populaires* (Albin Michel, 2013) et, dans la collection Folio Biographies, de *Louis XVI* (2006).

Introduction

Lafayette a été autant controversé de son vivant qu'après sa mort. J'ai, comme beaucoup, longtemps subi l'influence de ceux qui, au XIXe comme au XXe siècle, ont vu en Lafayette un faux républicain, une figure irrésolue et incertaine, « toujours moitié l'un, moitié l'autre[1]* » (Louis Blanc), un « homme vague[2] » et peu intelligent (Michelet), voire un raté. Cette influence a été renforcée par le jugement négatif qu'ont porté sur lui divers contemporains — Talleyrand, par exemple, qui lui reprochait de n'agir jamais que poussé et conseillé par quelqu'un d'autre, Chateaubriand le décrivant comme « une espèce de monomane, à qui l'aveuglement tenait lieu de génie » et Napoléon ne voyant en lui qu'« un niais sans talents civils ni militaires, un esprit borné, un caractère dissimulé ». Pour tous ceux-là, Lafayette était une sorte de velléitaire, tantôt chanceux, tantôt malchanceux, quelqu'un en tout cas dont la réputation « historique » était largement surfaite, sinon usurpée[3].

* Les notes bibliographiques sont regroupées en fin de volume p. 176.

Un autre aspect de la question m'intriguait : la différence abyssale entre l'importance qu'on accorde à Lafayette en Amérique et le peu de cas qu'on fait de lui en France où, visiblement, il dérange. Aux États-Unis, il est universellement connu et admiré ; chacun s'accorde à voir en celui qu'on appelle affectueusement « notre marquis » l'incarnation quasi exclusive de l'amitié qui unit nos deux peuples. Des rues innombrables, 44 villes, 17 comtés portent son nom (sous l'appellation de Lafayette ou de Fayette) : certaines cités comme Lexington (Kentucky) continuent, aujourd'hui encore, de fêter l'anniversaire de son passage en 1825. À quoi s'ajoutent, également sous le nom de Lafayette ou de Fayette, des hôpitaux, des écoles, des collèges universitaires, des hôtels, des autoroutes, des aérodromes, des places publiques, des squares, des lacs, des montagnes. Mais aussi une escadrille durant la Première Guerre mondiale : *The Lafayette Squadron*, officiellement baptisée le 6 décembre 1916 sur le terrain d'aviation de Luxeuil. Et c'est, dit-on, au cri de « Lafayette, nous voilà », que le général Pershing débarqua en France en 1917 : la phrase célèbre a en fait été prononcée le 4 juillet de cette année-là, non dans le feu de l'action militaire, mais à Paris, au cimetière Picpus où repose Lafayette, et elle l'a été en réalité par le colonel Charles E. Stanton venu lui aussi déposer une gerbe. Depuis lors, chaque année — et toujours le 4 Juillet, jour de la fête nationale américaine —, l'ambassadeur des États-Unis vient se recueillir devant la tombe du héros, tombe recouverte de terre américaine* et procède à la relève de la bannière étoilée qui flotte au-dessus de la sépulture du marquis et de son épouse, Adrienne[4]. Après quoi, fut créé outre-Atlantique, un fonds Lafayette *(Lafayette Fund)* qui se spécialisa dans l'aide à la vie quotidienne des combattants et achemina vers les tranchées de 1914 à 1917 plus de soixante-quinze mille colis : les *Lafayette Kits*. Le 8 août 2002, suite à une loi votée par le Congrès et promulguée par le président George W. Bush, Lafayette a été élevé à titre posthume au rang de citoyen d'honneur des États-Unis d'Amérique, privilège rare qui, avant lui, n'avait été accordé qu'à sept reprises dans l'histoire américaine. Il est de loin, avec Winston Churchill, l'étranger le plus populaire et le plus reconnu par les Américains.

Et c'est sans compter sur l'histoire rocambolesque du *Normandie* : début 1941, le paquebot français est ancré dans le port de New York ; le 11 avril, la prise de contrôle du navire est votée par le Congrès américain qui entend s'opposer ainsi au régime de Vichy ; le 11 décembre de cette même année le *Normandie* devient possession des États-Unis en vertu du droit d'angarie**. Début 1942, le navire est rebaptisé et devient l'USS *Lafayette* en

* La terre recouvrant la tombe avait été rapportée de Bunker Hill par Lafayette lui-même en 1825 et, à la mort de celui-ci en 1834, c'est son fils George-Washington Lafayette qui la répandit sur la tombe conformément à ce qu'avait souhaité son père.

** En temps de guerre, le « droit d'angarie » permet à un pays en conflit de saisir toute propriété pouvant être utilisée dans le cadre de l'effort de guerre, même si elle appartient à un pays neutre, et dès lors qu'elle se trouve sur le territoire d'un des belligérants.

l'honneur des services que le marquis français a rendus aux insurgés de la guerre d'Indépendance : quelques jours plus tard un manieur de chalumeau, Clement Derrick, met malencontreusement le feu à une pile de gilets de sauvetage en *kapok* (matière très inflammable) entreposés dans le grand salon du navire. Le feu se propage rapidement à l'ensemble du bâtiment malgré les dix mille tonnes d'eau aussitôt déversées sur bâbord par une armée de bateaux-pompes. L'ex-*Normandie* commence à gîter gravement sous l'effet des torrents d'eau qu'il engloutit, mais on espère encore éviter le pire. C'était sans compter sur la puissance des marées : la mer se retire, puis revient en force, déséquilibrant le paquebot qui, à 2 h 40 du matin, chavire définitivement. Mais le bateau qui sombre pour toujours à son point d'ancrage n'est point le *Normandie*... c'est le *Lafayette* !

En France, aucun culte de ce genre, aucun engouement collectif qu'on puisse mettre en parallèle. Lafayette a bien son nom inscrit sous l'Arc de triomphe (troisième colonne) et quelques statues, dont deux à Paris : l'une due à Auguste Bartholdi, implantée en 1895 place des États-Unis et qui représente Washington et Lafayette se serrant la main, l'autre érigée en 1908 (grâce aux dons de cinq millions d'écoliers américains !) ; cette statue équestre en plâtre, puis en bronze, due à Paul Wayland Bartlett, fut d'abord installée en 1908 dans la cour Napoléon du Louvre, puis transportée le 10 avril 1985, suite aux travaux de construction de la Pyramide, jusqu'à son emplacement actuel sur le Cours-la-Reine, entre le

Grand Palais et la Seine, dans le 8e arrondissement. Une troisième statue se trouve à Metz où, comme nous le verrons, le jeune marquis décida de voler au secours des insurgés d'Amérique. Le monument de Metz, statue équestre due à Claude Goutin, a été érigé en 2004 derrière le palais de justice de la ville, en remplacement d'une statue antérieure enlevée durant la guerre par l'occupant allemand.

Il est vrai aussi qu'on évoque rituellement l'histoire du marquis à l'occasion d'un colloque-anniversaire ou d'une exposition (la dernière date de 1962[5]), qu'on lui consacre épisodiquement une étude ou une biographie et qu'on a donné son nom à un grand magasin parisien ainsi qu'à une poignée d'hôtels ou de rues dans plusieurs villes de France, mais ces gestes sont sans commune mesure avec ce qui se fait, se commémore ou se publie à son sujet de l'autre côté de l'Atlantique. En novembre 2007, Nicolas Sarkozy, en visite officielle aux États-Unis en tant que président de la république, évoqua Lafayette dans son discours au Congrès, mais la même année s'ouvrit une polémique au sujet d'un possible transfert des restes du marquis au Panthéon, transfert suggéré par Bernard Kouchner ; Nicolas Sarkozy était pour (comme Laurent Fabius, Jean-Pierre Raffarin ou Alain Juppé), mais Jean-Noël Jeanneney (« La Fayette au Panthéon ? Holà ![6] ») s'y opposa, voyant en Lafayette un monarchiste convaincu et le contraire d'un républicain — jugement assurément simplificateur, mais qui eut pour effet que l'idée de la panthéonisation fut abandonnée. L'historien Gonzague Saint-Bris, biographe de Lafayette, répliqua dans *Le Monde* que « les hommes d'exception ont toujours servi l'intérêt de la France plus que celui d'un régime, que ce soit au temps de la monarchie ou de la république[7] ». À quoi l'on pourrait ajouter que la devise du Panthéon, inscrite sur son fronton, est ainsi libellée : « Aux grands hommes la *patrie* reconnaissante », et non pas « Aux grands hommes la *république* (ou la *monarchie*) reconnaissante ».

J'ai donc voulu savoir qui avait raison. Seul un retour aux faits, seules une étude approfondie et la consultation du vaste corpus franco-américain pouvaient me permettre d'y voir plus clair, de me faire une idée plus juste. Le hasard s'en mêla : la découverte de lettres inédites du jeune marquis au comte de Broglie, lettres que j'ai publiées en 2004[8] et qui m'ont convaincu d'aller plus loin et de creuser mon sujet.

Mon sujet, du moins dans la première partie du présent ouvrage, concerne essentiellement « Lafayette et l'Amérique » : car c'est dans cette phase première de sa vie d'homme que le « héros des *deux* mondes », comme on l'a curieusement appelé, s'est montré au plus haut de lui-même et a le plus durablement marqué l'Histoire. Il n'était rien ou pas grand-chose : un tout jeune et obscur nobliau de province, et voilà, comme le souligne son grand biographe américain, Louis Gottschalk, qu'il devient « une sorte de personnage symbolique », et ce « à l'instant même où il sort de l'anonymat pour entrer dans la gloire[9] ». Ce qu'il symbolise alors, c'est l'histoire d'une contagion qui s'apprête à bouleverser l'Occident et qui, à travers lui, va fonctionner dans les deux sens : à peine a-t-il débarqué dans le Nouveau Monde que les libertés américaines le pénètrent à jamais, et à peine est-il de retour en France que son amour de la liberté et le héros qu'il est devenu finissent de contaminer la vieille et déjà chancelante monarchie où il est né. Gottschalk, là aussi, a vu juste : « Lafayette n'était pas républicain lorsqu'il foula pour la première fois le sol américain ; en fait il était loin d'être un libéral. Mais, lorsqu'il revint en France une fois la paix conclue, il avait jeté les bases de son futur credo — le libéralisme[10]. »

Par la suite, surtout après 1792, Lafayette sera moins en phase avec les événements mais, comme l'a noté Mme de Staël, « s'il a commis des erreurs relativement à la révolution de France, elles tiennent toutes à son admiration pour les institutions américaines[11] ». Car c'est là, outre-Atlantique, en qualité de général français de l'armée des États-Unis — ou, pour reprendre une expression chère à Vergennes, en tant que « Gallo-Américain[12] » —, qu'il aura fait œuvre originale et aura accompli, à vingt ans — et contre toute attente —, une sorte de miracle que personne d'autre, en effet, n'incarna mieux que lui.

J'ai longtemps pensé qu'il était « l'arbre qui cache la forêt » et qu'à ne parler que de lui, comme aux États-Unis, on oubliait les milliers d'anonymes qui se battirent à ses côtés pour la cause de la république américaine. L'étude et la réflexion m'ont permis de réviser ce point de vue : non seulement

Lafayette n'a fait d'ombre à aucun de ses compagnons d'armes mais, à bien des égards, il leur a servi de soleil ou d'étoile. Car, sans sa présence, son énergie, sa folle obstination, son rayonnement, sans l'amitié profonde et partagée qui le lia à George Washington, on peut gager que tous ces soldats et officiers venus de France n'auraient pas été à même de contribuer, fût-ce obscurément, à la victoire finale et au salut des libertés américaines.

Et d'ailleurs seraient-ils même *venus* si quelqu'un n'avait pas servi d'agent de liaison, de trait d'union, de « passeur transnational » entre la république américaine et la monarchie absolue de Louis XVI ? Avant lui, il y avait bien eu des contacts, des envoyés spéciaux, des émissaires secrets, des négociateurs déguisés, quelque officiers volontaires, mais seul Lafayette sut faire preuve, loin des paroles attentistes et des prudences diplomatiques, d'assez de cran pour « oser l'histoire », quitte à la forcer, et pour *faire* ce que d'autres rêvaient vaguement d'accomplir. Comme eût dit François Villon, sans doute fallait-il qu'il fût « en l'an vingtième de son âge » pour risquer pareille folie.

Rares, dans notre histoire, sont les hommes d'exception à qui on aura accolé un aussi grand nombre d'appellations, que ce soit pour le grandir ou pour le diminuer : « héros des deux mondes », « soldat de deux patries », « chevalier ou ami ou pionnier ou flamberge de la liberté », « homme de la Révolution », « gentilhomme révolutionnaire », « cavalier de la chimère », « Scipion l'Américain », une

« statue en quête de piédestal », la victime du « sortilège de l'Amérique », l'« homme du milieu », « le plus jobard des libéraux », « une tête brûlée de Français », le « maire du Palais* »... Qu'il y ait eu au fil des siècles tant de manières de le dépeindre, ou de le défigurer, donne à penser que le personnage — souvent décrit comme simple, et parfois comme simplet — était divers, complexe, multiple, et ne saurait se ramener à une formule unique.

Sous des dehors timides, le jeune Lafayette avait du tempérament, un grand esprit d'indépendance, du courage physique, de l'audace sociale, de la ténacité dans ses entreprises et le sentiment qu'il aurait mieux qu'une vie : un destin, et un destin inscrit dans son caractère[13]. Le 7 juin 1777, à trois mois de ses vingt ans et à quelques jours de son débarquement dans le Nouveau Monde, il écrit à sa femme ces quelques lignes qui résument et sa personne et le sens de sa prodigieuse équipée :

> Défenseur de cette liberté que j'idolâtre, libre moi-même plus que personne, en venant comme ami offrir mes services à cette république si intéressante, je n'y porte que ma franchise et ma bonne volonté, nulle ambition, nul intérêt particulier ; en travaillant pour ma gloire, je travaille pour leur bonheur.

Et d'ajouter, s'inspirant presque mot pour mot d'une formule de Thomas Paine, avec qui il allait

* Partisan du veto suspensif pour le roi et du bicamérisme, il devient après les journées d'octobre 1789 le personnage le plus considérable de France, le « maire du palais », dira Mirabeau. La fête de la Fédération le 14 juillet 1790 marqua l'apothéose de sa carrière révolutionnaire.

bientôt se lier d'amitié : « Le bonheur de l'Amérique est intimement lié au bonheur de toute l'humanité*[14]. »

Ce qui en somme distingue Lafayette, homme taillé pour l'histoire plus que pour la politique, c'est d'avoir su incarner, aux yeux du monde — et en bloc —, une belle image de la France et une belle image de l'Amérique.

S'il enchanta et continue d'enchanter les Américains plus que nous-mêmes, c'est sans doute parce qu'il sut d'emblée leur apparaître comme l'un des leurs — le contraire d'un étranger rapace. Comment ne pourraient-ils pas aimer ce Français de vieille souche provinciale, ce marquis allié par son mariage aux plus hautes sphères de la noblesse de son pays, qui accepta d'aller se battre pour les couleurs *américaines*, à 5 000 kilomètres de son Auvergne natale, et qui le fit en qualité de général *américain* et sous l'uniforme de l'armée *américaine* ? Au surplus, Lafayette a plusieurs fois évoqué son statut d'« Américain », et les libertés pour lesquelles il versa son sang n'étaient autres que celles de la République américaine — idées que par la suite il essaya en vain de faire prévaloir en France. « Son esprit politique », disait encore Mme de Staël, « est pareil à celui des Américains, et sa figure même est plus anglaise que française. »

C'est à elle, sa contemporaine — qui, comme lui, dut s'expatrier pour fuir les dérives violentes de la

* En janvier 1776, Thomas Paine avait eu cette formule : « La cause de l'Amérique est dans une large mesure la cause de l'humanité tout entière » (*Le Sens commun / Common Sense*, traduit de l'anglais par B. Vincent, Aubier, Paris, 1983, p. 55).

Révolution française —, que je laisserai ici le mot de la fin. À ceux qui attaquaient Lafayette en s'en prenant à son manque de « réalisme » politique, à la confiance quasiment religieuse qu'il plaçait dans le triomphe ultime de la liberté et du libéralisme, à la naïveté de son idéalisme d'éternel adolescent, à sa franchise de provincial, elle répondait ceci :

> Ces sentiments, si contraires aux calculs égoïstes de la plupart des hommes qui ont joué un rôle en France, pourraient bien paraître à quelques-uns assez dignes de pitié : il est si niais, pensent-ils, de préférer son pays à soi ; de ne pas changer de parti quand ce parti est battu ; enfin de considérer la race humaine, non comme des cartes à jouer qu'il faut faire servir à son profit, mais comme l'objet sacré d'un dévouement absolu. Néanmoins, si c'est ainsi qu'on peut encourir le reproche de niaiserie, puissent nos hommes d'esprit le mériter une fois[15].

Lafayette et le rêve d'Amérique

Le 6 septembre 1757, le village auvergnat de Saint-Georges d'Aurac, aujourd'hui Chavaniac (Haute-Loire), non loin de Brioude et du Puy, vit naître Marie Joseph Paul Yves Roch Gilbert du Motier, marquis de Lafayette (il portera le prénom de Gilbert).

Une idée très largement répandue voudrait qu'à partir de 1789 « La Fayette » se soit mis à écrire son nom en un seul mot — « Lafayette » —, afin d'afficher aux yeux des Français en révolte un profil moins aristocratique et plus proche du peuple. Dans les neuf lettres inédites que j'ai publiées — les premières datant de *1776* —, on se rend compte que le marquis signait non pas « La Fayette » ou « LaFayette », mais déjà « Lafayette ». Il n'y a donc aucune raison de ne point respecter cette orthographe — d'autant qu'il faut remonter à Mme de La Fayette, auteur en 1678 de *La Princesse de Clèves*, pour trouver une coupure dans le nom, sans doute parce que la terre d'où provenait le titre s'écrivait ainsi. Un autre ancêtre du marquis, le maréchal Gilbert Motier de La Fayette (1380-

1432), compagnon d'armes de Jeanne d'Arc et conseiller de Charles VII, écrivait lui aussi son nom en deux mots. Pourquoi l'habitude s'est-elle perdue ? Mystère[1]...

Le jeune marquis entame sa vie sous le signe d'un multiple orphelinat : il n'a pas deux ans quand son père, colonel aux Grenadiers de France, est tué à la bataille de Minden (en Rhénanie-Westphalie) au cours de la guerre de Sept Ans. Son oncle, le frère aîné de son père, était, lui aussi, mort au combat en 1733 lors de la guerre de Succession de Pologne. Sa mère mourra également (en avril 1770) avant qu'il ait atteint l'âge de treize ans, suivie de peu par son grand-père, le marquis de La Rivière, qui laissera à son petit-fils une fortune considérable : l'héritage se compose de divers manoirs, de l'imposante demeure seigneuriale de Kerauffret en Bretagne, le domaine s'étendant sur plusieurs paroisses et comportant « de nombreuses garennes, métairies, étangs, deux moulins et de vastes forêts de haute futaie. À cela s'ajoutent la seigneurie de Chédigny dans l'Indre, des actions de la Compagnie des Indes et de nombreux droits de créances[2] ». Cette fortune colossale assure à son nouveau bénéficiaire une rente annuelle de 120 000 livres, l'équivalent aujourd'hui d'un demi-million d'euros. Ce décès, confiera Lafayette, « me rendit riche de pauvre que j'étais né[3] ».

En 1768, alors qu'il a onze ans, il part avec sa mère vivre à Paris. Ils s'installent chez le comte de La Rivière, arrière-grand-père de Gilbert, lieutenant-général dans les armées du roi, qui dispose d'un appartement au Palais du Luxembourg (l'actuel Sénat). On inscrit Gilbert au collège du Plessis, établissement très aristocratique de la rue Saint-Jacques (ancêtre du lycée Louis-le-Grand), où il va se distinguer dans l'apprentissage du latin, mais ne se fera guère d'amis durables — et où il fait déjà montre d'un caractère indocile. En 1771, le jeune orphelin, qui après la mort de sa mère et de son grand-père est d'autant plus seul qu'il n'a ni frère ni sœur, quitte le collège du Plessis et entame une carrière militaire, confiant qu'il trouvera dans l'armée une sorte de famille de rechange et y rencontrera la fraternité des armes. En dehors des conseils de son arrière-grand-père, il ne dispose plus, pour se guider dans la vie, que de la devise inscrite sur les armes de sa famille : *Vis sat contra fatum* (« La vigueur suffit face au destin »). À ces mêmes ancêtres il emprunta une seconde devise *Cur non ?* (« Pourquoi pas ? »), qui semble bien l'avoir guidé dans les multiples audaces de son existence.

En avril 1771, il devient mousquetaire du roi — ou plus exactement « mousquetaire noir », corps dans lequel le comte de La Rivière avait lui-même été capitaine et qu'Alexandre Dumas devait rendre célèbre. En février 1773, il entre à Versailles au service du duc de Noailles* : là, il se dégrossit et à l'occasion côtoie les enfants de la famille royale, le comte d'Artois et le futur Louis XVI. Trois mois plus tard, il est nommé lieutenant aux Dragons de Noailles. Le 11 avril 1774, devenu à tous égards

* Louis, duc de Noailles (1713-1793), maréchal (depuis 1775), père du duc d'Ayen.

un beau parti, il épouse Adrienne de Noailles, fille du duc d'Ayen*, dotée de 400 000 livres, et se retrouve allié à l'une des plus puissantes familles de France. Il est peu après (le 19 mai) promu au grade de capitaine, alors qu'il n'a pas encore dix-sept ans. Neuf jours plus tôt, Louis XV est mort et le duc de Berry, âgé de dix-neuf ans, est devenu roi de France sous le nom de Louis XVI.

Pendant l'été 1774, Lafayette part en manœuvres à Metz. Il est de retour à Paris dès le mois de septembre. Le jeune couple mène alors une vie mondaine et fréquente les bals de la Cour. « À Versailles on donnait trois spectacles et deux bals par semaine ainsi que deux grands soupers, le mardi et le jeudi[4]. » Mais Lafayette se sent mal à l'aise dans ce milieu frivole et médisant. Il est gauche dans ses manières, maladroit lorsqu'il danse, mauvais cavalier, provocateur avec les grands personnages, soucieux avant tout de préserver son indépendance d'esprit. Lors d'un bal masqué, il déclare (injure suprême) au comte de Provence (frère du roi et futur Louis XVIII) qu'il l'a reconnu malgré son déguisement. « Je me souviendrai de vos propos », lui lance, furieux, ce dernier. « La mémoire », lui rétorque Lafayette du haut de ses dix-sept ans, « la mémoire est l'esprit des sots[5]. »

Bien que sa femme se trouve enceinte (elle lui donnera une première fille, Henriette, le 15 décembre 1775), il ne peut se soustraire à toutes les

* Jean-Louis Paul François de Noailles, duc d'Ayen (1739-1824), général et chimiste, membre de l'Académie des sciences (1777) fils du maréchal, duc de Noailles.

invitations, mais refuse au fond de lui-même de se plier « aux grâces de la Cour » comme aux « agréments[6] » des soupers de la capitale. Au milieu de ce monde faux, il ne rêve que d'aventure militaire et d'occasions de se distinguer. Cela ne l'empêche pas, à l'occasion, de céder aux modes de l'époque : il lui faut, comme à tout homme marié, une maîtresse. Il courtise donc la très recherchée comtesse Aglaé d'Hunolstein, mais Lafayette n'est pas un grand séducteur et il a, de plus, un rival de poids en la personne du duc de Chartres, membre de la famille royale, et amant de la comtesse. Celle-ci ne lui accordera ses faveurs qu'à son retour d'Amérique. On a dit de cette déconvenue qu'elle avait poussé le jeune marquis à fuir vers le Nouveau Monde, mais on peut douter que ce genre de chagrin ait joué en la matière un rôle déterminant. Lafayette le reconnaîtra plus tard : dans cette affaire, « ma tête eut plus de part que mon cœur[7] ».

Loin des salons, à mi-chemin de Paris et de Versailles, Lafayette aime — ou plutôt consent, pour ne pas froisser ses amis — à passer de « chaudes » soirées à l'auberge de L'Épée de bois, en compagnie de la fine fleur de l'aristocratie éclairée, les Noailles, Ségur, La Rochefoucauld, Coigny. On y boit plus que de raison, on y côtoie des femmes de petite vertu, on singe les séances du Parlement de Paris et, surtout, on agite des idées audacieuses et anticonformistes. On discute du *Contrat social* de Rousseau, de Diderot et de son *Encyclopédie*, de l'abbé Raynal et de son idée de fraternité universelle, des pamphlets mordants de Beaumarchais contre les valets du pouvoir et de bien d'autres nouveautés « libérales ». Ces idées sont celles qui présideront, dix ans plus tard, aux premières phases de la Révolution française. Mais, tandis qu'il s'imprègne de l'esprit « républicain » (avant d'en découvrir bientôt l'illustration vivante en Amérique), Lafayette imagine-t-il, mesure-t-il, au regard de ce que lui-même représente dans la société de l'Ancien Régime, la portée ultime de ces contestations ?

C'est à Metz que le destin du jeune marquis va basculer. Au cours de l'été 1775, il y rejoint son unité en compagnie de son inséparable ami et beau-frère, le vicomte de Noailles*. Le commandant de la place et des forces militaires de la région était alors le comte de Broglie, lequel fit le plus grand cas du jeune marquis, en raison de son rang et de ses nouvelles attaches familiales, mais aussi parce que Lafayette était « le fils d'un compagnon d'armes du comte entre les bras de qui son père [était] mort[8] » en 1759 lors de la bataille de Minden.

C'est ce comte qu'il faut d'abord connaître et comprendre si l'on veut jeter quelque lumière sur l'aventure américaine du jeune marquis.

Charles-François, comte de Broglie (1719-1781) était un personnage aussi mystérieux que

* Louis-Marie, vicomte de Noailles (1756-1804), fils de Jean de Noailles, duc d'Ayen, beau-frère de Lafayette : participa aux côtés de ce dernier à l'aventure américaine et joua un rôle important lors de la bataille de Yorktown. De retour en France, il fut élu député de la noblesse aux États généraux avant de regagner les États-Unis en 1793 afin d'échapper à la Terreur. Devenu, à Philadelphie, associé d'un établissement bancaire (Bingham & Co.), il continua d'entretenir des liens d'amitié avec le président George Washington.

considérable. Petit de taille mais d'une haute intelligence, il se savait porteur d'un grand nom et travailla toute sa vie à l'honorer en même temps qu'à servir son roi et son pays. Ambassadeur à Varsovie (1752), il combattit l'influence russe et s'efforça de retarder la chute de la Pologne, avant de participer aux premières batailles de la guerre de Sept Ans (1756-1763) et de se faire remarquer, en 1761, à l'occasion de la défense de Cassel. Il fut ensuite appelé à diriger le « cabinet noir » de Louis XV : ce cabinet, mieux connu sous le nom de « Secret du roi », fut successivement dirigé par Louis-François de Bourbon (prince de Conti), Jean-Pierre Tercier (savant polyglotte et spécialiste du Chiffre) et, enfin, par le comte de Broglie lui-même. Il comprenait un service de renseignements (rapports oraux du lieutenant de police, interception de lettres privées, etc. — les écoutes téléphoniques n'existaient pas encore !) et un service de correspondance avec l'étranger permettant une diplomatie parallèle. Son existence ne fut découverte que la semaine précédant la mort de Louis XV : il avait fonctionné dans l'ombre pendant plus de vingt ans.

On est en mai 1774. Louis XVI vient de monter sur le trône. Le nouveau monarque, soucieux de tourner la page et se méfiant d'un homme en qui il voyait un intrigant, met fin au « Secret du roi » et éloigne Broglie du pouvoir. Aigri et convaincu d'être mal récompensé des services rendus sous le roi précédent, le comte se retire à Ruffec où il possède une fonderie de canons et où il a acheté l'ancien château de Saint-Simon.

Examinée de près, la réalité des choses est un peu plus complexe : c'est, en effet, Louis XV qui, dès septembre 1773, avait exilé le comte à Ruffec, à la suite d'une sombre intrigue au sein même de l'équipe du Secret. Mais le roi, inexplicablement, « lui conserva la direction de l'affaire secrète ». Quelques mois plus tard, le 10 mai 1774, Louis XV vint à mourir. « Dès que lui parvint cette nouvelle, le comte de Broglie se hâta de faire tenir à Louis XVI une lettre et une note pour lui révéler l'existence du Secret [...] et lui expliquer [...] les causes de son exil. La réponse qu'il reçut fut froide et vague. » Peu après, Louis XVI lui fit savoir qu'« il consid[érait] comme irréprochable toute sa conduite à la tête de la diplomatie secrète », mais, dans un courrier du 6 juin, le roi lui signifia sa volonté de mettre fin au Secret et ordonna au comte « de brûler tous les dossiers » — avant de lui demander, quelques jours plus tard, de les remettre à Vergennes. Le comte ne retrouva par la suite aucune responsabilité ministérielle. Le 1er novembre 1774, Louis XVI nomma néanmoins le comte lieutenant des Trois-Évêchés (Metz, Toul et Verdun) : d'où sa présence à Metz en 1775[9].

Mais Broglie ne renonça pas pour autant à jouer un jour les premiers rôles. La guerre d'Indépendance lui en donna sinon l'occasion, du moins l'espérance : puisqu'il ne pouvait servir son pays en France, il le servirait à sa manière en Amérique ! Au-delà de ses ambitions propres, le soulèvement des colonies anglaises d'Amérique lui offrait, en prime, celle de pouvoir venger la France des cuisants revers subis pendant la *French and Indian War* — volet américain de la guerre de Sept Ans. Cette humiliation militaire avait fait perdre à la France, au profit des Anglais, la quasi-totalité de ses possessions américaines, au Canada comme dans le Middle West américain, ainsi qu'une partie des Caraïbes et des Indes. Dès 1763, il prépare secrètement et minutieusement un « débarquement » en Grande-Bretagne. En juin 1765, il soumet à Louis XV son « plan général contre l'Angleterre » : il a notamment prévu que « l'armée d'invasion — 60 000 Français, protégés par des escadres franco-espagnoles — serait débarquée en quatre points des côtes anglaises ». Ce plan grandiose était manifestement « au-dessus des moyens du Secret[10] », si bien que Louis XV ne tarda pas à se désintéresser de ce mirifique projet.

Les obsessions antibritanniques de Broglie étaient partagées par beaucoup à ce moment du siècle, y compris par Lafayette, et elles expliquent en partie le futur engagement de la France monarchique et de la noblesse libérale auprès des « républicains » du Nouveau Monde.

À une époque où, avec sa longue histoire et ses 28 ou 30 millions d'habitants, la France était la puissance dominante de l'Europe — et les États-Unis une petite nation à peine née et sans véritable expérience militaire —, le comte avait, dans l'abstrait, quelques raisons d'estimer les Américains incapables de gérer leur nouveau pays et de conduire leurs troupes à la victoire contre la Grande-Bretagne. Il se vit un instant sinon roi d'Amérique, du moins chef de file des colons en révolte et s'imagina généralissime des forces antibritanniques à la place de George Washington, cet arpenteur virginien sans grand passé et manifestement sans grand avenir. Dans une lettre du 27 septembre 1777, le baron de Kalb, chargé de promouvoir les intérêts du comte auprès des autorités de Philadelphie, exprime au sujet de Washington, et après l'avoir effectivement rencontré, une opinion bien négative, sur laquelle il reviendra plus tard, mais qui ne put alors que renforcer la piètre idée que Broglie se faisait du commandant en chef des forces américaines :

> C'est l'homme le plus aimable, le plus complaisant, le plus honnête, mais comme général il est trop lent, même indolent, beaucoup trop faible et ne laisse pas d'avoir sa dose de vanité et de présomption. Mon opinion est que s'il fait quelque action d'éclat il la devra toujours plus à la fortune ou aux fautes des autres qu'à sa capacité[11].

Mais qui était ce Johann de Kalb (1721-1780) ? D'origine paysanne, il n'était en effet ni français ni baron. Né à Hüttendorf, près d'Erlangen en Allemagne, il avait servi comme officier dans l'armée française lors de la guerre de Succession d'Autriche — et pendant la guerre de Sept Ans avec le maréchal et le comte de Broglie. Devenu lieutenant-colonel en 1761, il s'était lui-même déclaré « baron » à la suite de ses hauts faits militaires, titre qui lui fut confirmé en 1763. Il poursuivit ensuite sa carrière en Amérique : après bien des hésitations, qui eurent le double effet de blesser et de décourager le baron, le Congrès finit le 15 septembre 1777 par lui conférer officiellement le grade de *major general* qu'il réclamait en vain depuis des semaines. C'est à Valley Forge que Washington lui confiera un commandement effectif — une division regroupant les brigades des généraux Patterson et Learned. Peu après, Kalb deviendra, en qualité de commandant en second, l'adjoint de Lafayette lors de la campagne (avortée) du Canada au printemps 1778 (initiative dont nous parlerons plus loin). Kalb mourut le 19 août 1780, mortellement blessé lors de la bataille de Camden où il avait été désigné comme second du général Horatio Gates. En 1767-1768, sur la recommandation du comte de Broglie, Kalb avait déjà été envoyé en Amérique par Choiseul comme agent secret chargé de sonder les sentiments des colons américains envers la Grande-Bretagne. Il était revenu de sa mission convaincu du caractère inéluctable de l'indépendance américaine. Dans son rapport de fin de mission (janvier 1768), il écrit ceci : « De toute manière, c'est ce qui se produira un jour prochain [...] ce pays devient trop puissant pour accepter de se soumettre à une autorité aussi lointaine[12]. »

Le comte, qui avait appris l'art du commandement militaire en combattant Frédéric II et celui de la politique dans les salons ou les couloirs de Versailles, commença par proposer secrètement ses services aux représentants américains présents à Paris, confiant que ceux-ci accueilleraient avec faveur et respect l'idée de prendre un Français aussi noble et expérimenté pour diriger leur guerre de libération, en attendant, peut-être, de l'installer à la tête de la nouvelle république.

Kalb reçut mandat de rencontrer Benjamin Franklin (arrivé à Paris le 18 décembre 1776) et de le sonder sur le projet du comte. Cette mission lui fut personnellement confiée par M. de Boismartin, secrétaire du comte de Broglie, lequel secrétaire, dans une lettre datée du 17 décembre 1776, lui fait part de l'admiration qu'il voue à son maître : « Je suis bien sûr que vous ne croyez pas qu'il y ait un seul homme en Europe à qui la chose [le projet du comte] convînt autant qu'au nôtre[13]. » Kalb remit par ailleurs un mémoire à Silas Deane, premier diplomate américain affecté à l'étranger. Silas Deane (1737-1789), négociant fortuné et délégué du Connecticut, avait été envoyé à Paris par le Congrès en avril 1776, avec pour mission d'acheter, si possible à crédit, des armes, munitions et équipements pour les 25 000 soldats de l'armée continentale et d'explorer les possibilités d'une alliance en bonne et due forme avec Versailles. Pour mener à bien — et à l'insu des Anglais — les expéditions destinées aux *insurgents*, Deane créa avec Beaumarchais une société commerciale de façade « Hortalez & Cie ». Dès 1777, celle-ci disposa de douze vaisseaux de transport qui opéraient du Havre, de Nantes, de Bordeaux ou de Marseille. Elle finira par en posséder quarante. Le premier convoi atteignit Portsmouth (New Hampshire) début 1777, avec de quoi armer et équiper 25 000 hommes. C'est grâce à cette aide d'une ampleur considérable que les

Américains remportèrent, en septembre 1777, la bataille de Saratoga, créant ainsi les conditions d'une alliance ouverte avec la France. Fin 1777, Hortalez & Cie avait transporté pour 5 millions de livres de matériels. Mais s'agissait-il d'un don, d'une opération de vente ou d'un prêt remboursable ? Ce malentendu tourna vite au scandale, si bien qu'en mai 1778 Deane fut accusé, notamment par Arthur Lee et Thomas Paine, et peut-être injustement, de s'être comporté en escroc dans toute cette affaire et de s'être rempli les poches aux dépens du Congrès et du peuple américain. Il s'exila finalement en Angleterre et y mourut en 1789, ruiné, le corps et l'esprit délabrés.

Le mémoire que Kalb avait remis à Deane laissait par ailleurs entendre que les responsables du Congrès gagneraient à « demander au roi de France quelqu'un qui puisse devenir leur chef civil et militaire, le généralissime temporaire de la nouvelle république[14] ». Il suffirait, pour que le comte de Broglie accepte cette haute mission, que le Congrès veuille bien le solliciter et lui accorder quelques avantages substantiels, notamment une pension à vie (compensée au centuple par l'ampleur des services rendus !) et une très forte somme d'argent afin qu'en son absence sa nombreuse famille soit suffisamment pourvue. Apparemment ébranlé par les arguments du baron, Deane écrivit au comité secret du Congrès américain, se faisant l'avocat du projet militaire avancé par le comte.

Dans l'attente d'une réponse, Deane enrôla dans l'armée américaine, en leur faisant miroiter des grades qui allaient jusqu'à celui de général de brigade *(major general)*, une quinzaine d'officiers français, dont Kalb lui-même. Tous ou presque étaient des proches du comte de Broglie et destinés à le servir dans ses futures tâches de généralissime (Lafayette serait bientôt ajouté à la liste). Il fut décidé que Kalb partirait dès que possible pour Philadelphie afin de mieux convaincre les sceptiques. Il est permis de croire que le comte visait moins le trône d'Amérique que le commandement suprême des armées, et qu'il ambitionnait, si sa mission militaire était un succès, de revenir en France auréolé de gloire et d'obtenir alors (comme son frère aîné) le double titre de duc et de maréchal. Telle est du moins la thèse de l'historien Étienne Taillemite, qui affirme ne pas croire aux ambitions proprement politiques du comte et juge « absurde[15] » toute autre interprétation. Comme on va le voir, je suis pour ma part moins catégorique.

Car les choses, et la réalité des sentiments humains, ne sont peut-être pas aussi simples. Avant que Kalb ne s'embarque pour l'Amérique, le comte lui adresse de Ruffec, le 11 octobre 1776, un long argumentaire qui vient compléter les propositions et exigences contenues dans le mémoire remis à Deane — argumentaire qui devait guider les futures démarches du baron auprès du Congrès américain. Derrière un certain « flou artistique » dicté par le secret de l'entreprise (le comte termine en disant qu'il ne signe pas, et ajoute : « Vous savez qui je suis »), ce texte montre bien ce qu'étaient, semble-t-il, les ambitions véritables du comte, autrement dit son aspiration secrète au *stathoudérat* de l'Amérique. Mais savait-il lui-même jusqu'où aller — et où ne pas aller ? Savait-il lui-même à quel destin ultime vouer le restant de ses jours ? Voici un extrait de son argumentaire :

> Il faut [à l'Amérique] un directeur politique et militaire. Il faut un homme qui puisse en imposer à la colonie française, la réunir, mettre chacun à sa place, qui soit dans le cas d'attirer et d'emmener avec lui un nombre considérable d'individus de tous grades ; non des gens de la Cour, mais tout ce qu'il y a de bons officiers, honnêtes, vertueux, et qui, par la seule confiance dans le chef, [s'en] iraient volontiers. [...] [L]'essentiel de la mission dont vous êtes chargé est donc de faire connaître l'utilité, on peut dire l'indispensable nécessité du choix d'un personnage à qui il faut donner le pouvoir d'amener avec lui ses instruments [des officiers] et de leur donner des grades relativement à ce qu'ils sont propres. Le grade du personnage doit être éminent [...] mais seulement pour l'armée, rien pour le civil ; dire seulement qu'il serait en état de diriger la partie politique avec les puissances étrangères, etc.

Dans la suite du texte, le comte incite Kalb à une certaine prudence et à mettre principalement en avant l'utilité militaire et provisoire de son futur rôle : « Se borner à toute l'autorité militaire, avoir en même temps les fonctions de général et président du conseil de guerre avec les titres de généralissime, *field-marshal*, etc. » Au total, s'il n'a pas « l'ambition de dominer la république », ni de s'attarder au-delà de trois ans, il entend malgré tout être le seul chef suprême et disposer d'« un plein pouvoir bien en ordre[16] ». Les pleins pouvoirs militaires plus la politique étrangère : on peut s'interroger sur la part d'autorité qui, en pareille hypothèse, eût été laissée au Congrès américain. Quant au caractère temporaire de sa mission, on sait combien, en politique, le provisoire a tendance à perdurer.

Le baron de Kalb ne put quitter la France qu'au printemps 1777, avec le bateau de Lafayette. Une fois sur place, il ne mit pas longtemps à comprendre combien le plan chimérique du comte de Broglie était irréalisable : à l'évidence, les insurgés n'avaient besoin ni d'un généralissime français, ni même (à ce stade) d'officiers étrangers pour mener leur guerre de façon efficace. Le 24 septembre 1777, Kalb écrivit au comte et lui expliqua sans détours que son projet n'avait aucune chance d'aboutir et que sa proposition serait considérée comme « une injustice criante contre Washington et un attentat contre le pays[17] ».

Le rêve exotique du comte de Broglie n'eut pas de suite pour lui-même et ne lui apporta aucune des satisfactions auxquelles il aspirait, que ce fût en Amérique ou en France. Il mourut à Saint-Jean-d'Angély le 16 août 1781 — privé, à deux mois près, d'une annonce qui l'eût comblé d'aise, celle de la victoire de Yorktown et du triomphe de la cause américaine. Reste que sa démarche eut une utilité, et non des moindres : elle ouvrit la porte de l'Amérique et de la gloire à tous ceux qui, comme Lafayette, s'étaient placés sous son aile ou dans son sillage, et contribua, à terme, à faire basculer le destin des armes — et l'Histoire elle-même — du côté des insurgés du Nouveau Monde.

Il n'est pas sûr que Lafayette ait jamais tenu pour réalistes les visées de son protecteur et, du reste, il ne s'y réfère à aucun moment dans ses *Mémoires* ; mais on verra qu'il fait plusieurs fois allusion au « projet » du comte dans ses lettres, même si l'allusion est discrète et imprécise. Lafayette, qui nourrissait des ambitions pour lui-même et avait son « rêve d'Amérique » à lui, était sans doute conscient, au-delà d'une certaine naïveté apparente qui transparaît dans sa correspondance, que l'appui et l'amitié du comte de Broglie finiraient bien par servir ses propres intérêts et ses propres visées. Au demeurant, l'ambition semble avoir été un élément précoce de sa personnalité. Il a dix ans, en effet, quand son cousin, le marquis de Bouillé, découvre « dans cet enfant un genre d'amour-propre et même d'ambition [...] sans lequel on ne peut être ni un homme d'État, ni un grand homme de guerre[18] ».

Au fil des mois, un élément supplémentaire rapprocha le marquis et le comte : leur appartenance commune à la franc-maçonnerie. Lafayette était « probablement membre de la loge de La Candeur à Paris », même si « on ignore la date exacte de son initiation*[19] » et si certains prétendent qu'il fut initié

* Selon Daniel Ligou, Lafayette « a été initié avant le 25 décembre 1775, date à laquelle il assiste en "visiteur" à l'allumage des feux de la loge parisienne La Candeur, peut-être dans une loge messine » (*Dictionnaire de la franc-maçonnerie*, PUF, Paris, 1998, 4e édition, p. 692). Le comte de Ségur, oncle de Lafayette, était Vénérable de la loge de La Candeur (*Encyclopédie de la franc-maçonnerie*, éd. Éric Saunier, Librairie Générale française, Paris, 2000, p. 471). Dans son *Dictionnaire historique des francs-maçons* (Perrin, Paris, 1988), Jean-André Faucher affirme que Lafayette était membre de la loge parisienne Saint-Jean d'Écosse du Contrat Social (p. 171). Les archives du Grand Orient semblent confirmer que Lafayette adhéra bien, en décembre 1775, à la loge du Contrat social, loge aux idées très avancées. Réfé-

plus tôt. Le comte, lui, était Grand Maître. C'est du moins ce qu'affirme un biographe américain, lequel laisse même entendre qu'à la loge militaire de Metz, Lafayette, tout comme ses compagnons le vicomte de Noailles et le comte de Ségur, furent, sinon initiés, du moins appelés par Broglie à « voir la lumière[20] » et à étudier les idées nouvelles — idées si bien incarnées par les *insurgents* d'Amérique.

Toujours est-il que le 8 août 1775, quatre mois à peine après le déclenchement de la guerre d'Indépendance américaine, le comte de Broglie — honneur insigne — « invita Lafayette et d'autres francs-maçons à dîner avec le duc de Gloucester, frère cadet du roi d'Angleterre[21] », de passage dans la ville et qui se rendait en Italie. Or il se trouve, et ce n'est sans doute pas le fruit du hasard, que le duc était également franc-maçon, ayant été fait « Grand Maître Ancien* » de la Loge royale de Westminster en 1767. Non seulement cet illustre personnage était farouchement opposé à la politique américaine de son frère, mais il s'en expliqua longuement et ouvertement à l'occasion de ce fameux dîner : il avait, le matin même, reçu des nouvelles fraîches en provenance de Londres et put exposer à ses hôtes, enflammés par un tel récit, le détail des

---

rence : « L'initiation du général Lafayette », *Le Symbolisme, Organe mensuel d'initiation à la philosophie du grand Art de la Construction,* Paris, 1923, p. 246.

* William Henry, duc de Gloucester « fut initié le 16 février 1766 à l'occasion d'une tenue "occasionnelle" à la Horn Tavern de Westminster [...]. Il fut nommé Grand Maître Honoraire [*Past Grand Master*] en 1767 [et] devint membre d'honneur de la New Lodge, qui prit ensuite le nom de Royal Lodge » (J. Walter Hobbs, « Royalty and Their Patronage of the Craft », *The Builder Magazine,* vol. XI, nº 5, mai 1925 ; également John Hamill, *The Craft : A History of English Freemasonry,* Crucible, Wellingborough (GB), 1986, p. 47).

affrontements initiaux et les raisons profondes de l'insurrection. Il fut question des premiers accrochages de Lexington et Concord, de la mise en place d'un Congrès continental et de la nomination de George Washington à la tête de l'armée continentale. On peut qualifier ce dîner d'« historique » dans la mesure où les révélations de Gloucester déclenchèrent chez Broglie le désir irrépressible d'aller outre-Atlantique se venger de l'Angleterre et chez Lafayette celui de s'accomplir, en tant qu'officier, au service d'un lointain mais noble idéal : « Jamais si belle cause n'avait attiré l'attention des hommes [...]. À la première connaissance de cette querelle, mon cœur fut enrôlé[22]. » Que l'adversaire fût la Grande-Bretagne n'était pas pour déplaire au jeune marquis — elle qui « après s'être couverte de lauriers et enrichie de conquêtes, après avoir maîtrisé les mers, insulté toutes les nations [...] avait tourné son orgueil contre ses propres colonies[23]. » Il dira plus tard (fin octobre 1777) à Vergennes que « nuire à l'Angleterre, c'est servir (oserai-je dire c'est venger) ma patrie[24] ». Sept semaines plus tard, il exprimera les mêmes sentiments dans une lettre à son beau-père, le duc d'Ayen : « Un jour, j'espère, la France se déterminera à humilier la fière Angleterre[25]. »

S'enthousiasmer était une chose ; organiser un passage vers l'Amérique en était une autre, et les obstacles ne manquaient pas. Il y avait la famille du jeune marié et un beau-père, le duc d'Ayen, peu enclin à laisser le marquis voler au secours des *insurgents*, ces révolutionnaires dont on ne savait pas grand-chose mais qui, subjugués par le

Common Sense[26] de Thomas Paine, ne rêvaient que de rompre le lien colonial avec la monarchique Angleterre et, plus grave encore, d'établir une république. Il y avait aussi le gouvernement français et les contraintes de sa politique extérieure : certes Louis XVI et ses ministres aidaient déjà en sous-main les colons américains en révolte, mais le souci majeur des autorités était de ne rien faire au plan officiel qui pût irriter l'Angleterre et la dresser contre la France. Pour parvenir à ses fins, Lafayette dut franchir de multiples obstacles et mentir à tous pendant de longs mois avant de pouvoir faire voile vers l'Amérique. Les préparatifs de son équipée transatlantique n'auraient pas été possibles sans l'assistance du comte de Broglie, sans ses réseaux et sans sa longue expérience des opérations secrètes.

Le comte mit rapidement Lafayette en contact avec Kalb, lequel, non content d'être franc-maçon*, comprenait l'anglais et pouvait donc servir d'interprète entre son protégé et Silas Deane, l'agent recruteur du Congrès américain. Plusieurs volontaires avaient rejoint l'armée de George Washington dès 1776, notamment le marquis de la Rouërie, le chevalier de Barazer de Kermorvan, Casimir Pulaski, qui allait devenir le « Père de la cavalerie américaine », ou encore Tadeusz Kościuszko. Un rapport de la Marine adressé en avril 1777 au mar-

* Kalb, que nous avons déjà évoqué, était, lui aussi, franc-maçon, mais il semble qu'il n'ait été initié qu'aux États-Unis « par la loge militaire n° 20 sous charte de la Grande Loge de Pennsylvanie » (Daniel Ligou, *op. cit.*, p. 673 ; voir aussi : G. W. Baird, « Great Men Who Were Masons : Baron de Kalb », *The Builder Magazine*, vol. X, n° 10, octobre 1924).

quis de Bouillé, alors gouverneur à la Martinique, indique qu'« environ 250 officiers français ou canadiens[27] » servaient déjà sous les couleurs américaines. Lafayette n'inaugura donc pas ce mouvement d'assistance militaire, mais il ne pouvait qu'envier le sort de ces hommes et brûler encore plus de traverser à son tour l'Atlantique.

Le 11 juin 1776, le capitaine Lafayette apprend que le comte de Saint-Germain, nouveau ministre de la Guerre, a décidé, la France étant en paix, de retirer du service et de « réformer », c'est-à-dire de placer dans la réserve, un certain nombre d'officiers inexpérimentés. Lafayette fait partie de ceux-là. Peut-être même a-t-il, dans ce contexte, demandé spontanément à être rayé des cadres afin de ne pas être accusé de désertion en cas de départ pour l'Amérique. Toujours est-il qu'il se retrouve sans emploi : il sera certes rappelé en cas de conflit, « mais pour l'instant, écrit l'un de ses biographes, sa carrière militaire [est] au point mort ; il ne reviendra pas à Metz. À dix-neuf ans, [c'est] un raté[28] ». Raté, mais disponible pour l'aventure américaine, à l'instar de ses jeunes compagnons, Ségur, Noailles et bien d'autres. Vers la fin de l'été parvient à Paris la nouvelle de la Déclaration d'Indépendance rédigée par Jefferson et adoptée le 4 juillet par le Congrès*. Lafayette est, du coup, plus décidé que

* La première traduction en français de la Déclaration d'Indépendance paraît aux Pays-Bas, le 30 août 1776, dans les *Nouvelles politiques publiées à Leyde, ou Nouvelles extraordinaires de divers endroits*, mieux connues sous le nom de *Gazette de Leyde*. D'après Lafayette lui-même, la « mémorable déclaration » ne fut portée à la connaissance des « Européens » que vers la fin de l'année 1776 (*Mémoires*, I, p. 8), mais sa mémoire des dates n'est pas infaillible.

jamais. Il prend sans attendre les contacts nécessaires. Le 6 novembre, Kalb le présente à Silas Deane. Un mois plus tard, le 7 décembre, Lafayette, imité par Noailles et Ségur, s'engage par écrit à aller servir en Amérique « quand et comment M. Deane le jugera convenable [...] sans aucune pension ni indemnité particulière ». Mais il se réserve, ajoute-t-il, « la liberté de revenir en Europe quand ma famille et mon roi me rappelleront[29] ». Les familles de ses deux compagnons s'opposent aussitôt à leur départ, mais personne ne vient contrarier les projets de Lafayette, lequel se voit promettre par Deane — un peu inconsidérément car il n'en a pas le pouvoir — l'octroi du grade de *major general* au sein de l'armée américaine.

Dans une lettre datée du 9 décembre 1776, il informe le comte d'un possible départ, organisé par Deane, et qui doit avoir lieu depuis Nantes « dans une quinzaine de jours ». Hélas, de bien mauvaises nouvelles parviennent des États-Unis où l'armée de Washington a subi durant l'été défaite sur défaite face aux soldats britanniques et aux mercenaires hessois qui les secondent : « New York, Long Island, les White Plains, le fort Washington et les Jerseys, avaient vu les forces américaines s'anéantir successivement devant 33 000 Anglais ou Allemands ». Dès lors, constate amèrement Lafayette, « le crédit insurgent s'éteignit ; l'envoi d'un bâtiment devint impossible[30] ».

Deane lui-même déconseille au marquis de persévérer, mais ce dernier n'en démord pas. Il annonce à Deane qu'il va désormais agir dans le plus grand secret et acheter un navire sur ses fonds propres : « Jusqu'à présent vous n'avez vu que mon zèle. Il va peut-être devenir utile. J'achète un bâtiment qui portera vos officiers. Il faut montrer de la confiance et c'est dans le danger que j'aime à partager votre fortune[31]. »

Avec la bénédiction et le soutien logistique du comte de Broglie, Lafayette s'attelle à la réalisation de son nouveau plan et fait preuve d'une discrétion étonnante, ne faisant rien qui puisse alerter le gouvernement ni sa propre famille. Il s'abstient de rencontrer Franklin de peur d'être démasqué et ne correspond avec lui que par l'intermédiaire du secrétaire de Deane, William Carmichael. Celui-ci lui suggère une astucieuse diversion et l'engage à se rendre à Londres pendant quelque temps à seule fin de donner le change sur ses sentiments et ses intentions. Lafayette se rallie à cette idée et traverse la Manche, le cœur réjoui de sa propre malice : « On aime peut-être trop à persifler un peu le roi qu'on va combattre[32]. » Il est présenté au roi en question, George III, par l'ambassadeur de France, qui n'est autre que le marquis de Noailles — un Noailles de plus ! Il danse chez le ministre des Colonies, lord Germain, et rencontre à l'Opéra de Londres « ce Clinton que je devais retrouver à [la bataille de] Monmouth » en juin 1778. Durant son séjour, il commet une seule mais importante imprudence : il écrit à son beau-père, le duc d'Ayen, et lui révèle ses projets de départ.

Pendant ce temps, un marin aguerri, François-Augustin Dubois-Martin, frère de Guy de

Boismartin, secrétaire du comte de Broglie, s'est rendu à Bordeaux afin d'acheter un bateau au nom du marquis (c'est lui, semble-t-il, qui a eu le premier l'idée de cet achat et l'a soufflée à Lafayette par l'intermédiaire de son frère Guy)[33].

Un mot sur ce François-Augustin Dubois-Martin. Né à Barbezieux en 1742, mort à Boston en 1833, il avait pour nom de naissance : « de Boismartin ». Compagnon de Lafayette, il était, en effet, le frère cadet de Guy de Boismartin, secrétaire du comte de Broglie. Lieutenant en second dans le régiment de Port-au-Prince, il resta à ce poste jusqu'en novembre 1775, époque où il fut chargé d'aller acquérir en France des fournitures militaires. En novembre 1776, il se fit mettre en congé pour deux ans afin d'accompagner, comme aide de camp, le baron de Kalb, lequel se proposait d'aller, avec Lafayette, combattre en Amérique. C'est bien lui qui fut chargé d'acheter *La Victoire* au nom de Lafayette et il partira du reste à son bord. N'ayant pas été intégré à l'armée américaine, il rentra en France début décembre 1777, puis rejoignit son régiment à Saint-Domingue, où il dirigea la plantation héritée d'un autre frère (Jean-Baptiste, mort le 15 septembre de la même année), jusqu'aux troubles déclenchés par le débarquement du corps expéditionnaire du général Leclerc (beau-frère de Bonaparte), l'arrestation de Toussaint-Louverture et la déroute finale des troupes françaises. Il se réfugia alors avec sa femme à Baltimore et y exploita jusqu'à sa mort une modeste fabrique de tabac. Au cours de l'été 1824, Dubois-Martin rencontra à nouveau

Lafayette qui effectuait alors, comme nous le verrons plus loin, un voyage triomphal aux États-Unis. Il essaya d'obtenir de lui 5 000 gourdes (monnaie haïtienne) en souvenir du service qu'il lui avait rendu quarante-neuf ans plus tôt en lui procurant un bateau. Excédé par cette sollicitation, Lafayette lui fit remettre 600 gourdes, geste dont le bénéficiaire se déclara fort touché.

Le 11 février 1777, Kalb informe Lafayette que Dubois-Martin a trouvé un navire de 78 tonneaux, le *Clary*. L'affaire se conclut au prix fort, à savoir «112 000 livres, dont 40 000 comptant et le reste en juin[34] ». Dubois-Martin a également engagé un capitaine, répondant au nom de Le Boursier, pour une traversée prétendument commerciale à destination de Saint-Domingue. Le navire, lourde coque armée de deux piètres canons, est rebaptisé *La Victoire,* mais n'est pas en état d'appareiller ; il ne sera prêt qu'à la mi-mars, car il faut lui donner les allures d'un navire de commerce et donc le charger de toutes sortes de fournitures et provisions (en même temps que d'armes, de tentes et de munitions) — achats financés, en l'absence du marquis, par « Broglie, Dubois-Martin, son beau-frère Larquier, Mme de Kalb et son mari*[35] ».

Lafayette, lui, rentre à Paris *incognito* (du moins le croit-il) et se cache pendant trois jours à Chaillot

* On trouvera une étude très documentée de l'achat de *La Victoire* dans le livre de Bernard de Larquier, *La Fayette usurpateur du vaisseau « La Victoire »*, Surgères, 1987. Le coût se décomposait en deux parties : le prix du bateau — 29 000 livres — et celui de la cargaison — 83 000 livres (p. 114). Pour l'acquisition du vaisseau, 26 000 livres furent payés sur les « fonds secrets Louis XVI », l'auteur précisant que c'est Broglie qui « jouit de ce fonds » (p. 109-114).

dans l'appartement de Kalb, sans même retrouver ni prévenir sa femme (à trois mois d'accoucher, celle-ci ne reverra son mari que deux ans plus tard : tel était alors, dans ces milieux, le comportement des époux). Kalb expliquera cette attitude par le souci « d'éviter une scène d'attendrissement[36] ».

Le 16 mars, Lafayette prend la route de Bordeaux, en compagnie de Kalb, pour apprendre à son arrivée que « son départ est connu à Versailles et l'ordre de l'arrêter en route pour l'atteindre[37] ». Contraint de réagir aux récriminations de l'ambassadeur britannique, lord Stormont, et soucieux de ne pas créer d'incident insurmontable avec l'Angleterre, le gouvernement français ne pouvait faire moins que de lancer ce mandat d'arrêt. On a pourtant le sentiment qu'il a plutôt choisi de « laisser faire » le jeune marquis : son opération ne manquait pas d'allure et allait bien dans le sens de la stratégie d'aide aux *insurgents* que la France entendait bientôt officialiser — bientôt, c'est-à-dire dès qu'une victoire significative serait remportée par l'armée de Washington (cela, nous l'avons déjà noté, se produisit à Saratoga, le 17 octobre 1777). Tout porte à croire que c'est à cause de la colère et des démarches irritées du beau-père de Lafayette que le secret avait été éventé et que le gouvernement s'était trouvé dans l'obligation de réagir aux initiatives du marquis : « Sans les plaintes de M. le duc d'Ayen », confie Kalb à sa femme, « [les ministres] n'auraient rien dit [...] tout le monde a approuvé son entreprise[38]. »

Par ailleurs, quelque temps après l'achat de *La Victoire*, le comte de Broglie s'était rendu sur place afin de donner des instructions précises au capitaine Le Boursier : « Il abat sa carte maîtresse [et] sort de sa poche un ordre en bonne et due forme d'interdiction d'aller au Cap [le Cap français à Saint-Domingue], mais de se rendre à Charlestown : ordre secret du roi[39]. » Ou bien Broglie bluffait, ou bien Louis XVI était bel et bien au courant du dispositif mis en place par le comte. La seconde hypothèse semble la plus probable : « Dans certains cercles », note Louis Gottschalk, « on était franchement convaincu que Broglie avait le soutien du gouvernement[40] ».

Pour l'heure, Lafayette est sous pression : ses proches sont furieux ou en larmes : « Les lettres de ma famille furent terribles », note-t-il. La fureur était surtout celle du duc d'Ayen, les larmes celles d'Adrienne : « J'étais grosse, je l'aimais tendrement. Mon père et le reste de la famille furent tous dans une violente colère[41]. » Lafayette est par ailleurs convaincu que la police est à ses trousses, porteuse d'une « lettre de cachet péremptoire[42] » — dont nul au demeurant n'a jamais retrouvé trace. Un instant découragé et prêt à rentrer dans le rang, il va, vers le 10 avril, saluer le comte de Broglie à Ruffec, lequel l'exhorte à ne rien changer au plan prévu : « Louis XVI ne bouge pas », lui confie-t-il, et toute « cette histoire est l'œuvre du clan Noailles[43] ».

Ragaillardi par ces encouragements, Lafayette fait appareiller *La Victoire* pour le port espagnol de Los Pasajes, près de Saint-Sébastien, avec à bord

Kalb et quelques-uns de ses futurs compagnons de voyage. Lui, de son côté, fait mine d'obéir aux ordres reçus et de se rendre à Marseille pour y rejoindre son beau-père chargé par la Cour d'une mission en Italie. Il part en chaise de poste, accompagné du fidèle Mauroy, proche du comte de Broglie*. Mais, au premier relais, les deux hommes disparaissent, et c'est à cheval — et « travesti en courrier[44] » — qu'à quelques lieues de Bordeaux le jeune aventurier bifurque vers Bayonne, l'Espagne et le petit port discret où l'attend son navire. À Saint-Jean-de-Luz, la fille d'un aubergiste le reconnaît mais ne le dénonce pas. Le 17 avril, il a rejoint et son bateau et le groupe de fidèles qui vont le suivre dans sa traversée. Mais ce que le fuyard ne sait pas, c'est qu'à huit cents kilomètres de là, dans les salons parisiens, son escapade alimente déjà les conversations et que les dames à la mode, à commencer par Madame d'Hunolstein, soutiennent désormais sa cause, qui va devenir celle de l'Amérique : dans une lettre à Horace Walpole, Mme du Deffand n'hésitera pas à écrire au sujet de la romantique désobéissance de Lafayette : « C'est une folie, sans doute, mais qui ne le déshonore point et qui, au contraire, marque du courage et du désir de la gloire[45]. »

Le 26 avril 1777, Lafayette, le baron de Kalb et dix-neuf autres passagers, pour la plupart des

* Charles-Louis, vicomte de Mauroy (1734-1813), l'un des officiers qui accompagneront Lafayette à bord de *La Victoire*. Proche du comte de Broglie, appartenait « au Cabinet secret depuis février 1765 » (Bernard de Larquier, *Lafayette usurpateur...*, *op. cit.*, p. 45).

officiers français*, entament une traversée de sept semaines (54 jours exactement) durant laquelle le marquis, qui n'a pas le pied marin, lutte contre le mal de mer : « La mer est si triste, et nous nous attristons, je crois, mutuellement, elle et moi[46]. » Pour tuer le temps, il étudie la langue anglaise et écrit longuement à sa femme pour se faire pardonner les conditions précipitées et secrètes de son départ ; il lui avoue notamment ceci :

> Que de craintes, que de troubles j'ai à joindre au chagrin déjà si vif de me séparer de tout ce que j'ai de plus cher ! Comment aurez-vous pris mon second départ ? [Le premier avait été son escapade à Londres.] M'en aurez-vous moins aimé ? M'aurez-vous pardonné ? Aurez-vous songé que dans tous les cas il fallait être séparé de vous, errant en Italie ? [...] Si vous saviez tout ce que j'ai souffert, les tristes journées que j'ai passées en fuyant tout ce que j'aime au monde[47].

Le voyage se déroule sans incident majeur et s'achève le 13 juin non loin de Georgetown, dans le petit port de South Inlet, en Caroline du Sud. Lafayette décrira plus tard ses toutes premières impressions : « Remontant en canot la rivière, [je]

* À bord de *La Victoire*, outre le baron Johan de Kalb et le vicomte de Mauroy, figuraient aussi Guillaume de Lesser, 25 ans, d'Angoulême et Charles-Antoine de Valfort, 27 ans, de Thionville, ainsi que le chevalier Du Buysson, Jean-Pierre Rousseau de Fayols (de Ruffec), Jacques Franval (de La Réole), François Auguste Dubois-Martin (de Barbezieux), Louis de Gimat (d'Agen), Louis Devrigny (de Strasbourg), Jean Capitaine (de Ruffec), Louis Ange de Colombe (du Puy-en-Velais), Charles Bedaulx (de Neuchâtel, Suisse), Philippe Louis Candon (de Versailles), Leonard Price (de Sauveterre, mais irlandais), Jean Simon Camus (de La Ville-Dieu, Franche-Comté), Michel Monteau (de Saclay), François Armand Roger (de Nantes), Antoine Redon (de Sarlat) et Jean Éloi Lepas (de Saint-Denis de Serans). Le baron de Kalb a 50 ans, Devrigny 36 et Dubois-Martin 32 ; tous les autres ont entre 22 et 27 ans (Daniel Binaud, *L'Épopée américaine de La Fayette*, La Découvrance, Paris, 2007, p. 359).

senti[s] enfin le sol américain et [m]on premier mot fut un serment de vaincre ou périr avec cette cause[48]. »

Il est à Charleston le 18 juin et se repose pendant une semaine avant de prendre la route de Philadelphie — en brillant équipage et installé dans un magnifique cabriolet. Mais il y a 900 milles à parcourir, les routes sont cahoteuses et parfois boueuses, le voyage interminable et éprouvant. « Parti[s] brillamment en carrosse », Lafayette et sa suite arrivent « à cheval après avoir brisé les voitures[49] ». Le marquis ne fait son entrée dans la capitale de la Pennsylvanie que le 27 juillet — entrée qui passe totalement inaperçue. Il a cependant été précédé par une missive très chaleureuse et élogieuse que Silas Deane et Benjamin Franklin ont adressée à son sujet au Congrès : saluant « l'esprit qui l'anime », les deux hommes souhaitent que « les prévenances et les respects qui lui seront montrés soient », insistent-ils, « utiles à nos affaires ici en faisant plaisir, non seulement à ses puissantes relations à la Cour, mais à toute la nation française*[50] ». Autrement dit, Lafayette est l'ambassadeur officieux de la France, alliée potentielle et bientôt véritable des États-Unis, et il importe qu'il soit traité avec tous les honneurs dus sinon à son rang, du moins à la grande nation amie qu'il représente.

À Charleston, ses premiers contacts ont été plutôt bons, même s'il constate qu'à son passage

* Il n'est pas absolument certain que cette lettre ait effectivement *précédé* Lafayette. Ce point est discuté dans Louis Gottschalk, *Lafayette in America*, I, *op. cit.*, p. 335-336.

personne ne le salue, pas même les paysans. « La populace », note l'un des officiers qui accompagnent Lafayette, « déteste les Français et l'accable d'invectives. Il n'en est pas de même de la bonne compagnie[51] ». Celle-ci le comble d'attentions, mais « ce ne sont pas les politesses d'Europe[52] ». Le marquis découvre une société inhabituelle, et le républicanisme ambiant le ravit en même temps qu'il l'étonne : « La simplicité des manières, le désir d'obliger, l'amour de la patrie et de la liberté, une douce égalité règnent ici parmi tout le monde. L'homme le plus riche et le plus pauvre sont de niveau ; et, quoi qu'il y ait des fortunes immenses dans ce pays, je défie de trouver la moindre différence entre leurs manières respectives les uns pour les autres[53]. » Aussi lyrique que Thomas Paine, il est convaincu, ainsi que nous l'avons noté, que le bonheur de l'Amérique annonce celui « de toute l'humanité » et il ne cache pas son éblouissement : « Ce qui m'enchante ici, c'est que tous les citoyens sont frères » et qu'il n'y a pas vraiment de « pauvres[54] ». La présence des Noirs semble en l'occurrence lui avoir échappé (mais il se rattrapera largement par la suite, devenant un partisan convaincu de l'abolition de l'esclavage et faisant même en 1785 l'achat à Cayenne, aujourd'hui la Guyane, de deux plantations (Le Belle Gabrielle et Saint Régis, payées 125 000 livres) afin d'y expérimenter l'affranchissement des esclaves)*[55]. Au total, il a le

* Lorsque Lafayette sera emprisonné à Olmütz par les Autrichiens, ses propriétés de Cayenne furent confisquées et les Noirs qui y travaillaient vendus comme esclaves.

sentiment, du moins en Caroline, d'avoir été accueilli avec chaleur et considération : Lafayette, note l'un des officiers de sa suite, « reçut les honneurs que l'on aurait rendus à un maréchal de France. » Avant de quitter Charleston, et ceci explique peut-être cela, il « avait fait don de plus de 27 000 livres aux autorités locales, pour l'achat d'armes et de vêtements[56] ».

Philadelphie, où il arrive le 27 juillet, fut loin de réserver au jeune marquis la réception escomptée : « La froideur du premier accueil, note-t-il, avait tout l'air d'un congé[57]. » Le général Washington, comme les membres du Congrès et les chefs de l'armée continentale, étaient passablement excédés par le comportement des officiers français, nobles ou roturiers, récemment arrivés en Amérique. Il s'agissait plus souvent, en effet, d'aventuriers en quête de promotions faciles et d'honneurs indus que de volontaires qualifiés et généreux. Leurs prétentions, notamment financières, et leurs manières étaient insupportables à beaucoup. Quant aux officiers vraiment expérimentés, ils n'éprouvaient que mépris pour leurs collègues américains et ne se privaient pas de le leur faire savoir : le chevalier du Coudray, raconte un compagnon de Lafayette, « est arrivé ici avec un ton de seigneur, se donnant pour en être un » ; il réclamait « le grade de général » et entendait « être commandant en chef de l'artillerie et du génie et de tous les forts faits ou à faire [...] avec des appointements de 36 000 livres, et une promesse de 300 000 après la guerre finie[58] ». Les prétentions de ce curieux personnage reposaient sans doute sur le fait qu'il avait publié trois ouvrages relatifs à l'artillerie : *Artillerie nouvelle ou Examen des changements faits dans l'artillerie française depuis 1765* (1772), *Mémoire sur les forges catalanes comparées aux forges à hauts fourneaux* (1775) et *L'Ordre profond et l'Ordre mince considérés par rapport aux effets de l'artillerie* (1776). Mais il n'est pas sûr, compte tenu de leurs besoins du moment, que les Américains aient été particulièrement sensibles aux mérites littéraires et techniques de ce candidat au grade de général. Au reste, le chevalier du Coudray ne fit pas long feu dans l'Amérique en guerre : moins de quatre mois après son arrivée, à savoir le 15 septembre 1777, alors qu'il paradait du haut de sa monture, il tomba de cheval en embarquant sur un *ferry* et se noya dans le Schuylkill à la satisfaction générale. Le 24 septembre suivant, Kalb écrivit au comte de Broglie : « M. du Coudray vient de mettre par sa mort le Congrès fort à l'aise[59]. » Lafayette ne se montra guère plus tendre : « La perte de cet esprit brouillon fut peut-être un heureux accident[60]. »

D'une manière générale, les Français n'avaient pas bonne presse auprès des militaires américains, et cela peut se comprendre, car c'est contre les forces françaises que ceux-ci avaient fait leurs premières armes durant la guerre de Sept Ans (*French and Indian War*) — et acquis de haute lutte leurs galons personnels. Aussi ne pouvaient-ils être qu'exaspérés de voir, à Paris, Silas Deane distribuer des brevets aux premiers venus sur simple présentation de leurs titres de noblesse et sans se soucier outre mesure de leurs véritables états de service. Sur l'attitude de George Washington en la matière, Kalb écrira bientôt à Broglie : « Il n'a pas pu encore se défaire de son ancienne prévention contre les Français, aussi je pense que dans peu il n'y aura pas un de nos officiers à leur service[61]. »

L'accueil réservé à Lafayette par le Congrès fut donc des plus froids — et peu conforme à ce qu'il avait imaginé. Il n'est reçu qu'au bout de deux jours, après avoir en vain frappé à plusieurs portes, dont celles de John Hancock, président du Congrès, et de Robert Morris, haut responsable des approvisionnements militaires. Dépité mais non abattu, et convaincu que ses lettres de créances ainsi que la missive louangeuse de Deane et de Franklin n'ont pas même été lues, il adresse au président du Congrès un « billet » aussi bref qu'admirable, en demandant que lecture en soit faite devant l'assemblée : « D'après mes sacrifices, j'ai le droit d'exiger deux grâces : l'une est de servir à mes dépens, l'autre est de commencer à servir comme volontaire[62]. » Le résultat est immédiat. Hancock et ses amis se rendent compte qu'ils ne sont pas en présence d'un Français ordinaire et qu'il convient de suivre à son égard les sages recommandations contenues dans la lettre de Franklin. Le 31 juillet, « par une résolution très flatteuse », le Congrès prend acte du fait que « le marquis de La Fayette, par suite de son grand zèle pour la liberté, dans laquelle les États-Unis sont engagés, a quitté sa famille et les siens, et est venu à ses frais offrir ses services aux États-Unis, sans réclamer ni traitement ni indemnité particulière », et décide de le nommer *major general* « en considération de son zèle, de l'illustration de sa famille et de ses alliances[63] ». Voilà donc Lafayette officiellement reconnu, et élevé — bien que sans indemnité ni commandement — au grade que lui avait promis Silas Deane. Il se retrouve général alors qu'il n'a pas vingt ans et n'a de sa vie ni tiré ni essuyé le moindre coup de feu ! On peut au reste trouver paradoxal que la jeune république américaine ait motivé la faveur qu'elle accorde au marquis par la « distinction de sa famille » et la « hauteur de ses alliances », alors qu'elle se montrera beaucoup plus réticente face aux demandes du fils de paysan qu'était le faux baron de Kalb.

Le lendemain, 1er août, Lafayette rencontre George Washington pour la première fois de sa vie à l'occasion d'un « dîner de cérémonie[64] » auquel participent plusieurs membres importants du Congrès. L'armée américaine campe non loin de Philadelphie. Le commandant en chef emmène le jeune Français visiter les positions de ses troupes — 11 000 hommes « médiocrement armés, plus mal vêtus encore [et qui] offraient un spectacle singulier[65] ». À Washington qui lui confie : « Nous devons être embarrassés de nous montrer à un officier qui quitte les troupes françaises », Lafayette répond avec doigté : « C'est pour apprendre et non pour enseigner que je suis ici[66]. » Le général est conquis et naît alors entre les deux hommes une amitié qui ne se démentira jamais : d'instinct, Washington, âgé de 45 ans, aima « en lui le fils qu'il n'avait pas eu[67] » tout comme Lafayette aima en Washington, comme auparavant en Broglie, l'image d'un père trop précocement perdu.

En août, Lafayette demande à servir aux côtés de Washington, chez qui il a déjà installé ses quartiers : il y restera jusqu'à l'obtention de son premier commandement comme général de division. Il faut savoir que, lors du dîner du 1er août, Washington avait lui-même proposé à Lafayette de « regarder son quartier général comme sa maison, ajoutant, en souriant, qu'il ne lui promettait pas le luxe d'une cour, mais que, devenu soldat américain, il se soumettrait sans nul doute de bonne grâce aux mœurs et aux privations de l'armée d'une république[68] ». Lafayette défila même avec son hôte dans les rues de Philadelphie.

Ses compagnons de voyage eurent, eux, moins de chance : à l'exception de Kalb, à qui fut aussi, mais non sans mal, octroyé le grade de *major general*, et de Gimat et La Colombe retenus par Lafayette comme aides de camp, aucun des autres n'obtint l'agrément du Congrès et tous (ou presque) durent piteusement retraverser l'Atlantique*.

Le « général » Lafayette reçoit le baptême du feu le 11 septembre 1777 à la bataille de Brandywine où il est blessé : une balle lui a traversé la jambe. Les circonstances de ce cruel incident sont les suivantes : le 23 juillet 1777, le commandant en chef britannique William Howe quitte New York

* Un autre compagnon, Jean Capitaine, semble aussi être resté, tout comme le chevalier du Buisson. Lafayette signale leur présence à ses côtés dans une lettre à Broglie en date du 7 octobre 1780. Voir sur ce point « Lafayette et la guerre d'Indépendance : neuf lettres inédites », *Sources*, *op. cit.*, p. 57-60.

par la mer avec 15 000 hommes embarqués sur 260 bateaux, remonte la baie de Chesapeake et débarque à Head of Elk au fond de l'estuaire, prêt à bondir vers Philadelphie. Face à lui, installés le long de la Brandywine, à une quarantaine de kilomètres de la capitale, Washington et ses 10 500 soldats, dont beaucoup sont « de fortune » et mal entraînés. Le cours d'eau est profond, mais les gués trop nombreux pour empêcher une traversée en masse des troupes britanniques. Celles-ci donnent donc l'assaut le 11 septembre et mettent les Américains en déroute. Philadelphie est occupée le 26 (la ville sera libérée le 16 juin 1778). Le Congrès s'est réfugié à Lancaster le 19, avant de s'installer à York le 30. On compte quelque 1 000 morts côté américain, 576 dans l'autre camp.

Au nombre des blessés figure notre marquis qui s'était joint à la division du général Sullivan, au centre du dispositif. C'est alors qu'il tentait de rallier ses troupes, les incitant à ne pas reculer et les poussant même par les épaules, qu'une balle lui traversa la jambe, juste au-dessous du mollet. Gimat, son fidèle compagnon, l'aide alors à remonter à cheval mais Lafayette doit bientôt mettre pied à terre « pour bander sa blessure ». Il manque ensuite d'être fait prisonnier, tant « la déroute [est] complète ». Il parvient malgré tout à se jeter sur « le chemin de Chester », localité située à une douzaine de milles du champ de bataille. Là, il s'efforce d'arrêter les fuyards et rétablit un peu d'ordre parmi ses troupes. Arrive alors le général Washington, entouré d'une partie de son état-major. Son médecin personnel, John Cochran, panse à la hâte la jambe du blessé. D'abord transporté par eau jusqu'aux environs de Philadelphie, puis emmené à Bristol, Lafayette est finalement conduit à Bethlehem (partie est de la Pennsylvanie) dans la voiture personnelle du nouveau président du Congrès, Henry Laurens. Là, il est confié à un « établissement morave, où la douce religion de ce peuple de frères [contrastait] avec les scènes de carnage et les convulsions de la guerre civile[69] ». Cloué au lit pendant plusieurs semaines, et souffrant plus de l'inaction que de sa jambe, il écrit lettre sur lettre.

Dès le lendemain de sa blessure, il rassure d'abord sa femme Adrienne : « Un coup de fusil [...] m'a un peu blessé, mais cela n'est rien, mon cher cœur, la balle n'a touché ni os ni nerf, et j'en suis quitte pour être couché sur le dos pour quelque temps, ce qui me met de fort mauvaise humeur[70]. » Washington lui rend visite et insiste pour que son jeune ami fasse l'objet des meilleurs soins. Du coup, note Lafayette, « tous les docteurs de l'Amérique sont en l'air pour moi[71]. »

Deux semaines plus tard, il écrit à Broglie et note dans sa lettre que « tous les étrangers de l'armée disent qu'ils y sont détestés », mais il ajoute : « Moi, j'y suis fort aimé et j'en reçois des marques de tout le monde » — avec cette petite notation finale qui confirme, chez lui, une absence totale de modestie : « De tous les étrangers qui sont ici, je suis le meilleur Américain[72]. »

En novembre il est de nouveau sur pied et rattaché au corps du général Greene. Il se distingue aussitôt en attaquant, à la tête de 350 hommes, un poste tenu par des Hessois qu'il met brillamment en déroute. Il insiste alors auprès de Washington pour qu'on lui confie une division. Le général n'entend pas aller trop vite en besogne et est quelque peu irrité par tant d'impatience : « Je me trouve, écrit-il, dans une situation délicate au regard du marquis de Lafayette. Il est fort soucieux d'avoir un commandement égal à son rang et il professe des idées très différentes, quant à l'objet de sa nomination, de celles dont m'a fait mention le Congrès[73]. » Finalement, on ne lui octroie qu'un assez modeste commandement : une division de Virginiens qui ne compte que 1 500 hommes mal équipée et « presque nue ». Mais on promet au marquis des recrues dont il lui faudra « faire des soldats[74] ».

Pendant l'été 1778, Lafayette a trouvé un nouveau terrain où combattre l'Anglais. Redoutant les suites du traité d'alliance que viennent de signer les « insurgés » et la France (traité conclu le 6 février et ratifié par le Congrès le 4 mai)*, Londres a envoyé à Philadelphie un groupe de négociateurs de la dernière chance, la commission Carlisle, du nom de celui qui la conduit (lord Carlisle). Celui-ci est porteur d'une offre de compromis : l'Angleterre est prête à accorder une certaine autonomie aux colonies d'Amérique et à leur assurer une représentation à la Chambre des communes. Mais le texte

* Le traité d'alliance entre la France et les États-Unis est le premier et unique texte d'alliance signé par les Américains jusqu'au traité de l'Atlantique Nord de 1949.

présenté comporte des bordées d'injures à l'égard de la France dont l'action est dite « insidieuse » et l'amitié décrite comme aussi fausse que « contre nature » entre les *insurgents* et la France. Le sang de Lafayette ne fait qu'un tour : il provoque en duel celui qui, explique-t-il, « a parlé de [s]on pays dans les termes les plus offensants ». Washington salue le « généreux esprit de chevalerie » de son jeune ami, mais, plus amusé qu'autre chose et surtout soucieux de voir Lafayette préserver sa vie pour « de plus grandes occasions », lui déconseille d'aller plus loin, de peur que Carlisle « ne tourn[e] en ridicule une vertu de si ancienne date ». Et c'est précisément ce qui se produit. Dans la réponse écrite qu'il fait au marquis offensé, Carlisle lui rétorque qu'il ne s'est point exprimé à titre privé, mais « en qualité de commissaire du roi », et que donc cette affaire publique se réglera collectivement sur le champ de bataille ou en mer, « lorsque l'amiral Byron et le comte d'Estaing se rencontreront[75] » ! Le Congrès rejeta finalement les propositions de Londres et le fit d'ailleurs pour des raisons proches de celles qu'avait avancées Lafayette, à savoir le recours par les Britanniques à des expressions « irrévérencieuses envers sa Très Chrétienne Majesté » et « désobligeante pour l'honneur de la [nouvelle] nation indépendante[76] ».

L'hiver approchant, l'armée américaine prend ses quartiers d'hiver à Valley Forge, à une trentaine de kilomètres au nord de Philadelphie (époque bénie où les hommes ne s'entretuaient qu'à la belle saison !). Dans une lettre à Adrienne, Lafayette note que tout le monde est logé à la même enseigne, « au milieu des bois [...] sous de petites baraques qui ne sont guère plus gaies qu'un cachot[77] ». Le temps est long. Lafayette explique à sa femme combien elle lui manque, combien il rêve de leur avenir commun quand ils seront à nouveau réunis — et il a cette formule : « J'aime à faire des châteaux en France de bonheur et de plaisir[78]. » Le temps, il le passe, pour une bonne part, à observer et réfléchir. Il écrit au duc d'Ayen :

> Je lis, j'étudie, j'examine, j'écoute, je pense, et de tout cela je tâche de former une idée où je fourre le plus de sens commun que je peux. Je ne parlerai pas beaucoup, de peur de dire des sottises. Je hasarderai encore moins, de peur d'en faire[79].

C'est là, tandis qu'il écoute et apprend, que les liens entre Washington et lui vont se renforcer, au point que bientôt celui-ci n'aura pas de mots assez forts pour exprimer l'admiration qu'il voue à son supérieur et ami :

> Notre général est un homme vraiment fait pour cette révolution qui ne pouvait s'accomplir sans lui. Je le vois de plus près qu'aucun homme au monde, et je le vois digne de l'adoration de son pays [...]. J'admire tous les jours davantage la beauté de son caractère et de son âme[80].

Au fil des jours s'accroît aussi la confiance professionnelle accordée par l'aîné à son cadet. Il semble que leur commune appartenance à la franc-maçonnerie ait joué à cet égard un rôle déterminant. Invité, dans le camp glacé de Valley Forge, à une tenue de la loge de l'Union américaine, Lafayette en devient membre — et aussitôt tout paraît métamorphosé entre les deux hommes. C'est du moins le sentiment qu'exprimera le marquis :

> Après que je fus entré dans la maçonnerie américaine, le général Washington sembla avoir reçu une illumination. Depuis ce moment je n'eus plus jamais l'occasion de douter de son entière confiance. Et peu après je reçus un commandement en chef fort important[81].

Il s'agissait du commandement de l'armée du Nord. Le rêve américain de Lafayette était en train de se réaliser et l'homme allait pouvoir donner toute sa mesure.

D'une certaine façon, Lafayette venait de faire sien le rêve du comte de Broglie — à cette différence près que Lafayette ne fut jamais « roi d'Amérique » ; il s'en sera que le prince.

Premier retour en France

Le haut commandement que Lafayette a obtenu du Congrès et de George Washington ne l'empêche pas de s'occuper (sans grand succès d'ailleurs) du sort de ses compagnons de voyage — de ceux du moins, comme Mauroy et Fayols qui ne se sont pas encore résignés à rentrer en France. Kalb, lui, a, peu après Lafayette, obtenu ses galons de général, mais il n'est pas certain que le marquis ait joué un rôle déterminant dans sa laborieuse nomination.

Dans une lettre à Broglie du 11 septembre 1778, Lafayette rappelle au passage que Kalb était présent à ses côtés lors de l'« expédition manquée » du Canada, expédition doublée d'une sombre intrigue militaire, l'affaire Conway.

Rappelons les faits, lesquels se déroulent entre décembre 1777 et mars 1778 : à l'initiative du général Horatio Gates, rival de George Washington au sein de l'armée continentale, une invasion du Canada est envisagée et il est question d'en proposer le commandement à Lafayette. Les initiateurs du projet espèrent éloigner ce dernier de son mentor, Washington, qu'ils jugent mauvais stratège et trop apathique face aux Anglais. Ils se disent que l'ambitieux marquis doit commencer à s'impatienter des insuccès militaires du commandant en chef. Ils s'imaginent en outre qu'à l'arrivée de Lafayette et des 3 000 soldats français (hypothétiquement) placés sous ses ordres, le peuple canadien se soulèvera contre l'« occupant » britannique. Lafayette est, semble-t-il, un instant séduit par les perspectives de gloire qui s'offrent à lui, et il ne se rend pas compte, du moins immédiatement, qu'on le manipule. Finalement, il n'acceptera le commandement proposé qu'avec réticence — et seulement après avoir obtenu l'agrément exprès de George Washington, lui-même peu enthousiaste à l'idée de voir tant de Français en passe de reprendre le Canada. Lorsque, le 17 février, Lafayette arrive à Albany, c'est pour constater que rien n'est prêt : les 3 000 hommes promis ne sont que 1 000 ; les milices ne sont pas en alerte ; pas de vivres, pas d'habits, pas de raquettes, pas de traîneaux.

Dès le 30 décembre, Lafayette a fait savoir à Washington ce qu'il pense de ceux qui, dans l'armée ou au Congrès, contestent son autorité : ils « sont infatués de Gates [...] et croient qu'il suffit d'attaquer pour conquérir[1] ». Il exige par ailleurs, si le projet aboutit, que son second soit Kalb et non le général franco-irlandais Thomas Conway — « instrument » de Horatio Gates et plus ou moins impliqué, à ce qu'on dit, dans un complot visant à écarter Washington au profit de son rival. Ce complot, connu sous le nom de « cabale de Conway », était sans doute plus imaginaire que réel, mais Lafayette, lui, voyait bel et bien dans cet officier intrigant un « homme ambitieux et dangereux » qui, reconnaît-il, a tenté de l'appâter : il « a voulu m'entraîner par des idées de gloire et de brillants projets, et j'avoue, à ma honte, que c'est un moyen trop assuré de m'éblouir ». Soucieux de rassurer Washington, il ajoute : « Je suis lié à votre sort, je le suivrai[2]. » Washington, qui perçoit aussi Conway comme un « ennemi invétéré », ne soupçonne aucunement Lafayette et le lui fait savoir : « Votre âme est trop haute pour s'abaisser à chercher la réputation par d'ignobles moyens et par l'intrigue. » Philosophe, le général ajoute cependant pour conclure que « dans une si grande lutte il ne faut pas compter uniquement sur des jours sereins[3] ». Au reste, Lafayette et Washington ne tardent pas à se rendre compte que l'expédition a été très médiocrement préparée, et le projet tourne court. « Tout était insuffisant pour cette expédition glaciale », note Lafayette, qui écrivit alors au Congrès et « abandonna » officiellement l'expédition[4]. Il semble au demeurant avoir tiré quelques leçons de cette déconvenue, avouant même, dans une lettre à Broglie, qu'il a « pour la gloire [...] un enthousiasme peut-être démesuré[5] ».

La lettre en question est écrite de Bristol, non loin de l'île de Rhode Island, au large de laquelle la flotte de l'amiral d'Estaing*, arrivée depuis peu,

* Charles-Henri, comte d'Estaing (1729-1794), auvergnat comme Lafayette, fut d'abord colonel, puis brigadier d'infanterie, avant de devenir lieutenant-général de la Marine en 1763, d'être fait vice-amiral en 1777 et affecté en avril 1778 au commandement de l'escadre chargée de prêter main-forte aux insurgés d'Amérique. Il

a repoussé celle des Anglais, deux fois moins nombreuse. Suite à l'attaque (dans la Manche) d'un bâtiment français, la frégate *Belle-Poule*, par les Britanniques le 17 juin 1778 (40 morts, 57 blessés), Louis XVI avait officiellement déclaré la guerre à l'Angleterre le 10 juillet suivant. Le roi, méfiant à l'égard des Anglais, n'avait d'ailleurs pas attendu ces événements pour envoyer l'amiral d'Estaing et sa flotte vers l'Amérique en révolte. Partie de Toulon le 13 avril 1778, les 16 bâtiments qui la composent parviennent près des côtes américaines début juillet après une interminable traversée de 87 jours (arrivée « surprise » à Rhode Island le 8 août seulement). Compte tenu des dates, on peut d'ailleurs se demander comment la nouvelle de la déclaration de guerre du 10 juillet a pu être apportée par ces navires, comme semble le suggérer Lafayette.

Ce dernier décrit, dans une lettre à Broglie du 11 septembre 1778, ce qu'il a vu de l'habile manœuvre maritime conduite par l'amiral français :

> J'eus le plaisir de voir nos vaisseaux passant sous le feu des batteries anglaises, mettant en fuite l'amiral « breton » [c'est-à-dire britannique], et le poursuivant à pleines voiles à la vue des deux armées. Je n'ai jamais été aussi heureux [...]. Outre ce moment brillant de la flotte, on lui doit d'avoir éclairé [surveillé militairement] nos côtes, ouvert les ports au commerce,

---

avait auparavant servi aux Indes, sous les ordres du général de Lally. Blessé à Madras en 1758, il avait été fait prisonnier par les Anglais, puis libéré sur parole. Il finira guillotiné sous la Terreur le 28 avril 1794.

pris ou brûlé six frégates anglaises, un grand nombre de bâtiments dont plusieurs armés. L'homme qui la commande montre un patriotisme, une activité, et un génie qui a donné aux Américains une grande idée de lui, en inspirant la confiance de ceux dont l'opinion est précieuse à nos intérêts[6].

Peut-être ne se rend-il pas compte, même s'il l'entrevoit, qu'avec l'entrée en action de la flotte française la guerre d'Amérique est en train de changer de nature : non seulement elle s'est internationalisée (depuis le traité d'alliance signé avec la France en février 1778), mais elle commence à devenir plus navale que terrestre, tournant qui va peu à peu modifier la donne militaire, jusqu'à la victoire finale de Yorktown en octobre 1781 et le rôle clef joué à cette occasion par l'amiral de Grasse et ses 34 navires de guerre. Toujours est-il que Lafayette brosse de l'amiral d'Estaing et de son « génie » maritime un portrait dithyrambique qui cadre mal avec la réalité des revers successifs que celui-ci allait essuyer au cours des mois suivants. « N'ayant pu attaquer l'escadre anglaise au large de Philadelphie, explique Étienne Taillemite, d'Estaing remonta vers New York mais, naviguant dans des eaux peu familières aux marins français car chasse gardée de la marine britannique, mal secondé par les pilotes américains qui ne mirent aucun zèle à le guider, il n'osa pas franchir les passes de Sandy Hook et perdit ainsi une occasion magnifique de remporter un succès capital qui eût pu abréger sensiblement la durée du conflit[7]. »

Lafayette revient ensuite sur une bataille que

nous avons déjà évoquée, celle de Monmouth (New Jersey, 28 juin 1778) qui se solda par un succès pour les forces américaines et une défaite pour le général Henry Clinton qui venait de succéder à William Howe comme commandant en chef des forces britanniques. Le marquis ne se contente pas de raconter au comte de Broglie les détails de l'engagement — notamment la désobéissance du général Charles Lee « dont c'était le tour à marcher [mais] qui se laissa battre ». Général américain d'origine britannique, Charles Lee avait, en effet, opéré un inexplicable mouvement de retraite (perçu par certains comme une trahison), ce qui lui avait valu la cour martiale et une suspension d'un an et un jour. Lafayette insiste surtout sur le rôle avantageux que lui-même a joué pour rattraper la dérobade de Lee et, plus largement, sur le fait que le général Washington n'hésite pas, dans les moments critiques, à lui confier des responsabilités militaires importantes, sinon décisives : « Lorsque le Gal Washington arrêta la défaite et fixa la victoire à Monmouth, je pris le commandement de la seconde ligne de toute l'armée, et fus détaché pour m'opposer à un mouvement commencé par l'ennemi[8]. »

Loin de Paris et des siens, Lafayette commence à avoir le mal du pays et songe, dit-il, à « [s]'embarquer pour la France ». Louis XVI ayant déclaré la guerre à l'Angleterre et envoyé le maréchal de Broglie en Normandie pour faire face à toute éventualité militaire, il songe fermement à aller y servir. Visiblement partagé entre son envie de se battre sous le « drapeau français » et le « devoir » qu'il a de respecter ses engagements envers l'Amérique (qu'il appelle joliment « l'autre monde »), il penchera pour l'heure du côté du devoir en espérant que ses motifs ne seront pas mal interprétés à Versailles. Nous verrons que, quatre mois plus tard, il aura changé d'avis et choisira de rentrer au pays, du moins pour un temps.

Pour l'heure, il hésite. La déclaration de guerre contre l'Angleterre « [lui] a fait le plaisir le plus vif », écrit-il à Broglie, dont en l'occurrence il souhaite ardemment les conseils. « Transplanté à deux mille lieues, il m'a fallu me décider moi-même. J'avais fait le projet aussitôt que cette nouvelle arriverait de m'embarquer pour [la] France, et d'aller y servir sans plus penser à des emplois étrangers. » De toutes les raisons qui pouvaient précipiter sa démarche, la plus forte, avoue-t-il, était la crainte qu'en France on ne le soupçonne d'être plus attaché à la cause de l'Amérique et au rôle qu'il y jouait qu'au service de sa propre patrie : « Je brûlais de retrouver les drapeaux français et, cependant, je me vois encore ici. » Il n'a appris la déclaration de guerre décidée par Louis XVI qu'à l'arrivée de l'amiral d'Estaing le 8 août. Faire alors des préparatifs de départ et traverser l'Atlantique risquait à ses yeux de comporter un double inconvénient : « manquer la campagne américaine » et n'arriver en France que « bien avant dans l'automne », sinon au début de l'hiver, période où commence la traditionnelle trêve des combats. Bref, conclut-il dans sa lettre au comte, « moi qui avais fait le projet le plus décidé de ne pas rester un moment, je me trouve encore ici, sans me condamner moi-même, et j'espère que ma conduite et ses motifs auront votre approbation ». Mais il apprend bientôt par la presse anglaise une nouvelle bien faite pour lui donner des regrets : « On prétend, écrit-il, qu'il y a beaucoup de troupes assemblées en Normandie sous les ordres de monsieur le maréchal de Broglie. » Frère aîné du comte, le duc Victor-François de Broglie, maréchal de France, a, en effet, été chargé de commander en Normandie les troupes censées combattre l'Angleterre en cas de conflagration et de débarquement. « Le bonheur de me trouver parmi ceux qu'il commande, note notre marquis, est trop bien senti par mon cœur pour ne pas gémir d'en être privé. » Lafayette est néanmoins convaincu que les affrontements militaires, s'ils doivent avoir lieu, ne se produiront qu'une fois l'hiver passé. Il pourra alors se porter volontaire et il fait preuve, dans cette perspective, d'une étonnante modestie :

> J'y préférerais, si le grand projet a lieu, le grade de soldat à tous les emplois militaires dans tout autre coin du monde. Je me réclamerai de vos bontés, Monsieur le Comte, pour y être admis, et mon ambition s'élèvera jusqu'au bonnet de grenadier si je suis digne de le porter[9].

Malgré tout ce qui l'attache à l'Amérique — les fonctions militaires qu'il y occupe, la gloire qu'il y acquiert, l'amitié confiante et paternelle de George Washington —, Lafayette décide finalement de rentrer en France. Les raisons d'un tel retour devaient être fortes, et elles sont multiples.

Sans arrêt en mouvement, parcourant semaine après semaine des distances fabuleuses, participant aux combats, fêtant les victoires au vin et au rhum plus qu'au thé de Ceylan, dormant peu, Lafayette est bientôt, malgré son jeune âge et une robuste constitution, au bord de l'épuisement. En novembre 1778, alors que sa décision est prise et qu'il a déjà quitté Philadelphie à destination de Boston, il tombe malade et doit être hospitalisé d'urgence, terrassé par une « maladie inflammatoire ». Le bruit se répand qu'il est au plus mal : « Réduit bientôt à l'extrémité, le bruit de ma mort prochaine affligea l'armée. » Il reste alité pendant un mois ; Washington vient tous les jours prendre de ses nouvelles, mais « craignant de l'agiter », s'en retourne « le cœur serré et les larmes aux yeux ». À peu près remis sur pied, Lafayette reprend finalement le chemin de Boston, où il parvient le 2 décembre et où, note-t-il, « le vin de Madère acheva de [l]e rétablir[10] ».

D'autres raisons le poussent à quitter l'Amérique : peut-être un certain désenchantement après les revers terrestres et navals subis par les forces américaines. Le 1er janvier 1779, alors qu'il n'est pas entièrement remis de son accident de santé, il écrit à un ami une lettre au ton pessimiste qui n'est pas dans sa manière habituelle et qui traduit pour le moins une profonde fatigue : « Le calice est tiré, il faut le boire jusqu'à la lie, mais la lie se fait déjà sentir[11]. » Sans doute aussi est-il las, malgré l'admiration qu'il lui porte, de l'incompétence, de l'indécision et du manque d'audace du comte d'Estaing, ce général devenu amiral qu'il ne cesse de conseiller et d'aiguillonner, mais sans résultats probants. Il continue aussi de rêver, comme beaucoup à son époque, d'une descente vengeresse en Angleterre et ne voudrait pour rien au monde manquer pareille occasion. Le 11 septembre 1778, il écrit au duc d'Ayen : « La grande raison de retour serait une descente en Angleterre. Je me regarderais presque comme déshonoré si je n'y étais pas[12]. »

À quoi s'ajoute l'envie de revoir les siens après une absence longue et mouvementée, et en particulier le désir de retrouver son épouse qui a dû quelque six mois plus tôt faire face à la mort de leur fille aînée, Henriette, âgée d'à peine trois ans. Le 16 juin précédent, depuis Valley Forge, Lafayette avait exprimé sa tristesse et son désarroi à Adrienne :

> Mon cœur est affligé de ma propre douleur et de la vôtre que je n'ai pas pu partager [...] la perte de notre malheureuse enfant est presque à tous moments présente à mon idée. Cette nouvelle m'est arrivée tout de suite après celle du traité, et tandis que mon cœur était dévoré de chagrin, j'avais à recevoir et à prendre part aux assurances de la félicité publique.

Et d'ajouter :

> Si la malheureuse nouvelle que j'ai apprise m'était arrivée tout de suite, je serais parti sur-le-champ pour vous joindre ; mais celle du traité reçue le 1er mai m'a arrêté. La campagne qui s'ouvrait ne me permettait pas de partir[13].

On partirait pour moins que cela. Le Congrès lui a d'ailleurs accordé un congé et s'est engagé à lui faire remettre, à Versailles, par Benjamin Franklin, une épée d'honneur « en témoignage », dit le texte, « de la haute estime et de l'affection que le peuple vous porte, et en souvenir de la valeur et des talents militaires que vous avez fait paraître dans plusieurs occasions importantes[14] ». Parti de France sous la menace d'une lettre de cachet, voilà que le fugitif rentrait dans sa patrie entouré de tous les honneurs, assuré de l'amitié du général Washington — et précédé d'une chaleureuse lettre de recommandation adressée à Louis XVI lui-même par Henry Laurens, président du Congrès américain :

> Nous recommandons ce noble jeune homme à l'attention de Votre Majesté, parce que nous l'avons vu sage dans le conseil, brave sur le champ de bataille, patient au milieu des fatigues de la guerre[15].

Au même moment, le ministre de France, Gérard de Rayneval*, avait, lui aussi, fait l'éloge de Lafayette dans un courrier adressé à Vergennes : « Je ne puis me dispenser de dire que la conduite également prudente, courageuse et aimable de M. le marquis de La Fayette l'a rendu l'idole du Congrès, de l'armée et du peuple des États-Unis[16]. »

Lafayette embarque donc, le 11 janvier 1779, sur une frégate américaine au nom prédestiné, l'*Alliance*. Au terme d'une traversée rapide mais

* Gérard de Rayneval (1729-1790), signataire au nom du roi du traité d'alliance entre la France et les États-Unis. Le 12 juillet suivant, il arrive à Philadelphie, à bord de la *Chimère*, comme ministre plénipotentiaire du roi : il est le premier diplomate accrédité par la France auprès de la jeune république. C'est lui qui va organiser diplomatiquement l'aide de la France aux insurgés.

marquée par une mutinerie des déserteurs anglais qui avaient été engagés comme marins (Condorcet affirme que Lafayette aurait tué deux mutins de sa propre main[17]), il débarque à Brest le 6 février. Dès le 12, il est reçu à Versailles par Vergennes et Maurepas, le premier jouant désormais les premiers rôles auprès de Louis XVI en matière de politique étrangère. Peut-être rencontra-t-il aussi le roi. Toujours est-il que celui-ci « lui infligea, pour la forme, huit jours d'arrêts de rigueur, peine qu'il alla purger à l'hôtel de Noailles où il eut pour geôlier son grand-père le maréchal[18]... ».

Retour dans le Nouveau Monde

Le marquis va très vite recueillir les dividendes de sa campagne américaine. Versailles et Paris, la Cour et le peuple, lui réservent un accueil plus que chaleureux. Mûri par l'expérience et auréolé de gloire, l'homme a perdu de sa gaucherie d'antan et présente à tous ce mélange d'esprit, d'élégance et de grâce qui assure le succès. Les intellectuels comme Condorcet ou La Rochefoucauld souhaitent discuter avec lui des idées nouvelles — « la démocratie, l'abolition de l'esclavage, le statut des protestants[1] » — et recherchent sa compagnie. Les dames aussi. Le fait d'avoir retrouvé Adrienne ne l'empêche pas d'être aimé ailleurs : il conquiert enfin les faveurs de Mme d'Hunolstein, puis celles de la plus belle femme de Paris, la comtesse de Simiane, qui est aussi la petite-fille de Madame de Sévigné. S'il aime conquérir les dames, il est loin d'être un féministe : « Je n'aime pas les filles, écrit-il à Noailles, parce que la bêtise endort, et l'impudence dégoûte[2]. » Mais la comtesse de Simiane, si elle est attachante, « n'apprécie ni les roucoulades, ni les niaiseries, elle est différente et farouchement indépendante ». Son époux, « amoureux sans succès et mari sans jouissance[3] » s'est d'ailleurs brûlé la cervelle et la comtesse est d'autant plus indépendante qu'elle est veuve — indépendance à laquelle Lafayette est loin d'être insensible.

Mais le repos du guerrier, si naturel dans cette société vouée au plaisir, ne lui fait pas oublier ses ambitions ni la suite de sa carrière : le 3 mars, il achète au marquis de Créqui le régiment des Dragons du Roi et se retrouve « mestre de camp » (colonel), avant d'être en juin promu « aide-major général des logis de l'armée » en Bretagne et Normandie. Le 1er juillet, il rejoint son poste au Havre. La veille de Noël, le 24 décembre, sa femme Adrienne lui donne un fils qu'il prénomme aussitôt... George-Washington !

Le 29 février de l'année suivante (1780), il est reçu, en uniforme américain, par le roi et la reine à Versailles. L'aide de la France à l'Amérique se précise, s'organise et prend de l'ampleur. Le 1er mars, Rochambeau est placé, avec le grade de lieutenant-général, à la tête du corps expéditionnaire français (5 500 hommes), lequel quitte Brest le 2 mai (il arrivera à Newport le 10 juillet). Mais Lafayette, qui sait que l'invasion de l'Angleterre n'aura pas lieu et que tout va donc se jouer outre-Atlantique, est reparti, lui, un mois plus tôt, porteur d'informations officielles et secrètes qu'il doit transmettre à son ami et confident, le général Washington : le bateau qui l'emmène s'appelle l'*Hermione* et la construction de ce vaisseau, comme son destin, ont une histoire*.

Le 2 novembre 1778, le secrétaire d'État à la Marine, Gabriel de Sartine, signe, en effet, à Versailles, avec l'aval du roi, l'autorisation de construire à Rochefort une nouvelle frégate[4]. Le 19 avril 1779, la coque est achevée. Elle est armée de 26 canons de « 12 », lesquels, installés en batterie, peuvent tirer des boulets de 12 livres. L'arsenal de Rochefort a fourni pour sa construction 1 160 stères de chêne, 200 stères de résineux, plus 35 tonnes de fer, environ 15 tonnes de chanvre et 9 892 m^2 de toile à voile. Le bâtiment est mis à l'eau le 28 avril, mais personne ne sait encore qu'il accomplira bientôt une « mission particulière** ».

Un an plus tard, c'est le lieutenant de vaisseau Louis de La Touche-Tréville, âgé de trente-quatre ans, qui assure le commandement de l'*Hermione*, après l'avoir testée en mer pendant plusieurs mois. L'équipage est au complet. Il comprend, outre le commandant, 5 officiers, 3 gardes de la marine, 1 révérend père augustin, 1 chirurgien major,

* Un excellent livre (déjà cité) a été consacré à ce navire historique : Robert Kalbach et Jean-Luc Gireaud, *L'Hermione au vent de la liberté, 1780-1990*, Éditions En Marge, Fouras, 1999. L'ouvrage s'appuie, entre autres choses, sur le journal de bord du navire, conservé aux Archives nationales et reproduit en partie sur le site http://www.poplarforest.org/Democracy/logepisodes.htm (nous avons puisé à ces deux sources). Des deux mêmes auteurs est sorti en juin 2004 aux éditions Dervy un nouvel ouvrage intitulé *L'Hermione, frégate des Lumières*.

** Dans une lettre datée du 28 janvier 1780, Sartine envoie ses instructions à monsieur de La Carry, commandant la Marine à Rochefort : « Il est nécessaire que vous donniez ordre à monsieur de La Touche qui commande cette frégate, de rentrer dans la rade de l'île d'Aix avant le 20 février, *attendu qu 'elle est destinée à cette époque à une mission particulière* » (c'est nous qui soulignons). Archives de la Marine à Rochefort, côte1 A 49, folio 106.

44 officiers mariniers, 152 matelots pour la manœuvre et le canon, 35 soldats et bas officiers et 71 surnuméraires dont 8 autres officiers et 3 gardes de la marine. Ce sont au total 313 personnes, sans compter les éventuels passagers, qui cohabitent ainsi à bord d'une frégate de 44,47 mètres de long sur 11,24 mètres de large.

Alors que l'*Hermione* est toujours à l'ancre dans l'attente de sa « mission particulière », une lettre de Sartine à La Carry, commandant la Marine à Rochefort, lève une partie du secret. En tête de ce courrier daté du 29 février 1780, une mention impérative : « Pour vous seul. » Il annonce que le marquis de Lafayette sera embarqué à bord de l'*Hermione* et avec lui quelques officiers et domestiques dont la liste sera transmise. Il précise : « Il est nécessaire qu'il ait à bord un logement fermé et décent. Quoique le départ de monsieur le marquis de La Fayette ne soit pas un mystère, vous jugerez cependant qu'eu égard à la nature de sa mission il convient d'agir avec toute la discrétion possible[5]. »

Une autre lettre est alors adressée conjointement à M. de La Carry et à M. de Casamajor, intendant de la Marine à Rochefort. Elle porte à nouveau la mention « pour vous seuls » et prévoit la liste des passagers à embarquer à bord de l'*Hermione* ainsi que le chargement d'un ballot de 4 000 uniformes destinés aux combattants américains.

Une dernière lettre, datée du 6 mars 1780 à Versailles, précise : « Monsieur de La Fayette doit, Messieurs, vous faire connaître les noms des quatre officiers et huit domestiques qui doivent passer avec lui sur l'*Hermione*[6]. »

De son côté, Lafayette, qui depuis son retour en France n'a cessé d'intervenir auprès du cabinet du roi pour que soient apportées aux troupes de l'Union toutes les formes d'aide possibles, sent bien que quelque chose se prépare et entend y participer. Il a à cette fin envoyé plusieurs mémoires à Vergennes « dont un, daté du 2 février 1780, qui contient les bases du plan qui sera finalement adopté[7] ». Il ne cache pas, si une expédition était décidée, qu'il aimerait, malgré son âge (il a vingt-deux ans), s'en voir confier le commandement. Dans ce fameux mémoire du 2 février 1780, il étale ouvertement ses ambitions et n'y va pas par quatre chemins :

> Vous avez approuvé, Monsieur le Comte, qu'avant de causer avec vous sur l'expédition, je misse par écrit quelques unes des précautions à prendre dans les deux cas suivants : 1° celui où je commanderais le détachement français ; 2° celui où je reprendrais une division américaine [...].
>
> Si je commande, vous pouvez agir en toute sûreté, parce que les Américains me connaissent trop pour que je puisse exciter de fausses inquiétudes [...]. Dans le second cas, Monsieur le Comte, il faut d'abord prévenir en Amérique le mauvais effet que ferait l'arrivée d'un autre commandant. L'idée que je ne puis pas mener ce détachement est la dernière qui se présenterait là-bas.

Pressentant, malgré l'assurance qu'il affiche, qu'il ne sera pas désigné et qu'un autre officier, plus âgé et plus aguerri que lui, aura la responsabilité dont il rêve (ses rapports futurs avec Rochambeau seront d'ailleurs assez acides), il exprime une exigence plus proprement politique, et sur ce point Vergennes tranchera dans son sens :

Il faut que je sois dans le secret pour préparer et instruire le général Washington. Un secret que je ne saurais pas paraîtrait bien suspect à Philadelphie.

Et il conclut :

Conclusion : 1° Je crois qu'il est mieux de me donner ce corps ; 2° Si on ne me le donne pas, il faut me faire partir sur-le-champ avec les moyens que je demande[8].

Le 5 mars 1780, il reçoit enfin ses ordres, et obtient la seconde mission demandée :

Monsieur le marquis de La Fayette s'empressera de joindre le général Washington qu'il préviendra sous la condition du secret que le Roi, voulant donner aux États-Unis un nouveau témoignage de son affection et de son intérêt pour leur sûreté, s'est résolu de faire partir au commencement du printemps, un secours de six vaisseaux de ligne et d'environ cinq mille hommes de troupes [...]. Il conviendra avec le général américain jusqu'à quel point il devra mettre le Congrès dans le secret de nos mesures[9].

Lafayette se présente le jeudi 9 mars 1780, en fin d'après-midi, pour embarquer à bord de l'*Hermione*. Il est accompagné d'un officier, de son secrétaire et, comme prévu, de 8 domestiques, et s'installe dans la cabine du capitaine, qui la lui a cédée. Le soir, à onze heures, la frégate lève l'ancre pour se rendre à l'île d'Aix, à la pointe nord. Lafayette fait savoir qu'il doit embarquer plusieurs autres officiers dans la rade de La Rochelle, ainsi que les ballots d'uniformes destinés aux troupes américaines. Le chargement a lieu au petit matin. Le vaisseau appareille dans la nuit du 14 au 15 mars, mais ce sera un faux départ : le vent souffle en tempête et la grand-vergue se brise. Il faut rentrer pour réparer. Le départ, repoussé de jour en jour à cause de l'état de la mer, a finalement lieu le 21 mars. À bord, précise René Belin, Lafayette est entouré « de la fine fleur des jeunes aristocrates, dont son beau-frère Noailles, Ségur, Vioménil, Lameth, Lauzun, Montmorency, la Tour-Marbourg et le Suédois Fersen pour lequel, dit-on, la reine a quelque inclination[10] ». Au terme d'une traversée un peu rude de trente-huit jours et durant laquelle la frégate est parvenue à mettre en déroute un corsaire britannique grâce à « une bordée bien ajustée [...] dans son gréement », l'*Hermione* accoste le 27 avril le port de Marblehead, à 16 milles de Boston.

Lafayette débarque en Amérique au milieu d'une grande liesse populaire, réception qui est, écrit-il à sa femme, « au-dessus de tout ce que je pourrais vous peindre ». Il adresse aussitôt un courrier à George Washington : « Je suis ici, mon cher général, et au milieu de la joie que j'éprouve à me retrouver un de vos fidèles soldats, je ne prends que le temps de vous dire que je suis venu de France à bord d'une frégate que le roi m'a donnée pour mon passage. J'ai des affaires de la dernière importance que je dois d'abord communiquer à vous seul [...]. Adieu, vous reconnaîtrez aisément la main de votre jeune soldat[11]. »

Le 2 mai, il quitte Boston pour Morristown (New Jersey) où Washington a établi son quartier général. L'information secrète dont il est porteur n'est autre que l'arrivée prochaine des régiments français.

Dès le 7 août suivant, Lafayette est à la tête d'une troupe d'élite, les *riflemen,* « espèces de chasseurs à demi sauvages, moitié infanterie, moitié cavalerie ». Cette unité est composée de quelque 2 000 hommes bien entraînés et elle est d'autant mieux faite pour une guerre d'usure et d'escarmouches, précise Lafayette, qu'elle est « indépendante de la grande armée[12] ».

Dans une lettre écrite le 7 octobre 1780 depuis la région de Fort Lee[13] (l'un des forts stratégiques dominant le fleuve Hudson et qui avait été conquis par les troupes anglaises en novembre 1776), Lafayette apporte au comte des nouvelles peu réjouissantes et qui, chose rare, ne respirent guère l'optimisme. Certes, le convoi amenant Rochambeau est bien arrivé et semble avoir redonné de l'énergie à certains des États de la future Union, mais l'escadre de Ternay, explique-t-il, est coincée à Newport par une flotte anglaise supérieure en nombre : l'amiral de Ternay (1723-1780) escortait bien Rochambeau et le corps expéditionnaire français, mais, avec seulement 8 vaisseaux de ligne, 2 frégates et 8 galiotes à bombes, il n'avait rien pu faire, une fois arrivé à Newport, face à une flotte britannique qui comptait 13 vaisseaux de ligne de plus que la sienne et n'avait eu, du coup, aucun mal à le bloquer. Il mourut d'ailleurs à Newport le 15 décembre 1780, d'un soudain et grave accès de fièvre, et fut remplacé par l'amiral Destouches, en attendant l'arrivée de Barras en mai 1781.

Le baron de Kalb, quant à lui, était mort au mois d'août à la bataille de Camden en Caroline du Sud après avoir reçu onze blessures. Son aide de camp, du Buisson, compagnon de traversée de Lafayette et colonel dans l'armée continentale, n'avait, lui, reçu lors de la même bataille que trois coups de fusil et avait survécu.

Fayols, lui aussi, était mort (mais par accident) à Rhode Island et « depuis longtemps », si bien que le comte avait déjà dû en être informé. Le seul des compagnons de traversée de Lafayette qui semblait s'être tiré d'affaire, était Gimat, lequel venait de se voir confier un « bataillon d'infanterie ».

Le point central de cette lettre du 7 octobre 1780 concerne une nouvelle « conspiration » survenue au sein de l'armée américaine : ce que les historiens appellent la « trahison d'Arnold ». C'est, le 20 septembre de cette année-là, au cours d'une réunion tenue à Hartford (Connecticut), et à laquelle participaient Washington, Rochambeau, Ternay, Chastellux (dont nous parlerons plus loin), Lafayette et le général Knox, que fut découverte la trahison de Benedict Arnold.

Les faits se présentent ainsi : le 12 juillet 1780, à la suite de diverses déconvenues, le général américain Benedict Arnold fit savoir au général Clinton, commandant en chef des forces britanniques, qu'il était disposé à lui livrer la forteresse de West Point, forteresse clef pour toute la région de l'Hudson, et dont il allait assurer le commandement à compter du 5 août. Clinton chargea son « adjudant général », autrement dit son aide de camp, le major John André, des négociations secrètes avec Arnold. André fut arrêté par hasard par des miliciens de l'État de New York et la conspiration découverte. André fut condamné à la pendaison et Arnold, qui s'était entre-temps réfugié sur un navire de Sa Majesté, fut, lui, promu au grade de brigadier-général de l'armée britannique ! Il essaya par la suite de rassembler une légion de loyalistes et déserteurs américains, mais sans grand succès, mis à part un certain nombre de raids en Virginie, puis dans le Connecticut. Il passa les dernières années de sa vie à Londres, où il mourut en juin 1801, oublié, méprisé, ruiné, le corps en loques et psychologiquement anéanti.

Depuis août, Lafayette s'est beaucoup dépensé à la tête de ses *riflemen,* il a besoin de se remettre des « fatigues de la campagne » et la trêve hivernale tombe bien. Il la passe essentiellement à Philadelphie, où le 19 décembre 1780 il est admis, en même temps que le chevalier de Chastellux*, à l'American Philosophical Society, célèbre société savante fondée

* François-Jean de Beauvoir, chevalier de Chastellux (1734-1788). Devint marquis en 1784 et entra la même année à l'Académie française. Il fit partie de l'expédition envoyée en 1780 au secours des *insurgents* américains, occupant auprès de Rochambeau les fonctions de maréchal de camp. On lui doit un ouvrage qui lui valut une célébrité autre que militaire : *Voyages dans l'Amérique septentrionale dans les années 1780, 1781 & 1782,* Paris, 1786 (rééd. Taillandier, Paris, 1980), ainsi que divers écrits philosophiques et une adaptation de *Roméo et Juliette* à la scène française.

quelques mois plus tôt par Benjamin Franklin. Chastellux, qui lui rend visite fin novembre, note que les troupes de Lafayette sont mieux habillées et équipées que le reste de l'armée, et il est surtout frappé par l'ascendant que le jeune marquis exerce sur ses hommes ainsi que sur la classe politique américaine, et ce au plus haut niveau :

> La confiance et l'attachement des troupes sont pour lui des propriétés précieuses, des richesses bien acquises que personne ne peut lui enlever, mais ce que je trouve de plus flatteur encore pour un jeune homme de son âge, c'est l'influence, la considération qu'il a acquises dans l'ordre politique comme dans l'ordre militaire. Je ne serai pas démenti lorsque je dirai que de simples lettres de lui ont eu souvent plus de pouvoir sur quelques États que les invitations du Congrès[14].

Lafayette n'est pas fait pour les trêves ou les repos prolongés. L'inactivité lui pèse. Il rêve d'attaquer et de reprendre aux Anglais l'île de Staten Island. Il fait part de son projet à George Washington le 30 octobre, persuadé qu'il importe de finir la campagne de 1780 sur un « coup d'éclat ». Cela ébranlera les responsables français et les décidera à s'engager plus à fond. Washington juge le projet trop hasardeux : « Il est impossible, explique-t-il à son jeune ami, de désirer plus ardemment que je ne fais de terminer cette campagne par un coup heureux ; mais nous devons plutôt consulter nos moyens que nos désirs[15]. » Consulter nos moyens ? C'est justement ce que Lafayette décide alors de faire. Il monte plus au nord se rendre compte de la situation militaire et de l'état des autres troupes et revient convaincu que l'armée américaine n'est, en effet, ni matériellement, ni financièrement, ni moralement en état de remplir ses missions — et notamment de reprendre New York.

De fait, des mutineries éclatent début janvier, d'abord en Pennsylvanie, puis dans le New Jersey. Le Congrès est manifestement dans une grande « détresse » financière et les troupes manquent de tout, notamment de vivres et de vêtements. Certains soldats n'ont pas été payés depuis plus d'un an et beaucoup ont dépassé de plusieurs mois leur temps de service. Les rebelles ne sont pas pour autant disposés à déserter ; ils pendent même haut et court deux émissaires loyalistes venus les débaucher. Mais ils veulent coûte que coûte se faire entendre du Congrès et lui rappeler ses obligations. Leur objectif n'est pas le désordre pour le désordre, mais d'obtenir qu'on les traite plus humainement et dans le respect des engagements mutuels. Lafayette admire l'endurance et la motivation de ces soldats-citoyens : « Il faut des citoyens, écrit-il à Adrienne, pour supporter la nudité, la faim, les travaux et le manque absolu de paye qui constituent l'état de nos soldats, les plus endurcis, je crois, et les plus patients qu'il y ait au monde[16]. »

À quoi s'ajoute que le traître Arnold, à la tête de sa légion de loyalistes (environ 1 600 hommes), pille et ravage la Virginie. Excellent officier, il n'a guère de mal à venir à bout des maigres milices qui s'opposent à lui et se rend facilement maître de Richmond, d'où il chasse Thomas Jefferson. En mars 1781, Lafayette, qui vient de prendre le commandement d'un corps de troupes envoyé dans le Sud, se lancera en vain à sa poursuite. Arnold se retrouvera finalement encerclé à Yorktown en compagnie de Cornwallis, mais profitera d'une clause de la convention de capitulation (prévoyant le départ d'un petit bâtiment « non visité ») pour prendre le large et gagner l'Europe[17].

À lire, dans ses lettres, le récit que Lafayette fait à Broglie du délabrement et des mécomptes de l'armée américaine, ainsi que de la révolte des troupes de Pennsylvanie et du New Jersey due en partie aux retards de paiement et à « la détresse du Congrès qui donne des ordres et qui ne donne pas d'argent*[18] », on a du mal à imaginer que moins de huit mois plus tard le siège victorieux de Yorktown et la reddition de Cornwallis marqueront, pour les insurgés, la fin heureuse du conflit et le triomphe de la jeune république.

Le 31 janvier 1781, Lafayette, court-circuitant son ministre de tutelle, adresse directement à Vergennes une missive aussi lucide que visionnaire. Il reconnaît que l'arrivée de Rochambeau et du corps expéditionnaire a bel et bien sauvé les Américains d'une débâcle fatale, mais prévoit que l'issue du conflit se jouera sur l'océan et que la maîtrise des

* Des négociations sur le respect de la durée des contrats et les retards de paiement, négociations assurément peu conformes à la discipline militaire, furent engagées entre les mutins et le Congrès, sous la responsabilité principale du général James Reed. Un accord fut trouvé le 10 janvier. « Il est bien fâcheux, écrivit alors un Lafayette peu enclin à plaisanter avec la discipline, que l'État se soit cru obligé de céder. » S'agissant de la révolte des troupes des Jerseys, Lafayette note que « le général Washington, s'étant chargé de cette affaire, y a fait marcher un détachement ; les mutins se sont soumis, leurs chefs se sont exécutés » (Lafayette, *Mémoire*..., *op. cit.*, t. I, p. 401).

mers représentera un élément décisif : si la France ne remédie pas par des renforts à son « infériorité maritime, on ne saurait, martèle-t-il, faire la guerre en Amérique », ni *a fortiori* la gagner :

> C'est elle qui nous empêche d'attaquer tel point qu'on enlèverait avec deux ou trois mille hommes. C'est elle qui nous réduit à une défensive dangereuse autant qu'humiliante. [Aussi est-il] politiquement et militairement nécessaire, tant par les envois de France, que par un grand mouvement de la flotte des îles, de nous donner ici, pour la campagne prochaine, une supériorité maritime assurée. [...] Sans vaisseaux, quelques milliers d'hommes de plus nous rendraient peu de services.

Partant de ce constat, et s'exprimant comme si le destin l'avait désigné pour être, en dépit de son âge, le haut conseiller du gouvernement, Lafayette suggère alors à Vergennes de procéder à un renforcement de la puissance navale française et, compte tenu de l'état du Trésor américain, à un accroissement substantiel de l'aide financière qui permette, sur le terrain, de « mettre en activité les forces américaines[19] ».

Le 2 février, Lafayette écrit à sa femme et lui recommande le colonel John Laurens, fils de l'ancien président du Congrès et aide de camp de George Washington, qui va s'embarquer pour la France en compagnie de Thomas Paine afin d'épauler Franklin et, sous son autorité, d'exposer à la Cour les besoins urgents de l'armée continentale. Partis le 11 février à bord de l'*Alliance* (la même frégate que celle qu'avait empruntée Lafayette, le 11 janvier

1779, lors de son premier retour en France), les deux hommes débarquent à Lorient le 9 mars. Leur mission sera couronnée de succès dans la mesure où Louis XVI décide aussitôt l'octroi d'un crédit de 16 millions de livres « dont six en don », ainsi que l'envoi de deux cargaisons d'armes et d'équipements. « Le tout partit de Brest le 1er juin[20]. »

Il ne restait plus, pour l'armée de Washington et Rochambeau, redescendue vers le Sud, et pour les vaisseaux du comte de Grasse (29 navires de guerre avec, à bord, plus de 3 000 soldats supplémentaires), qu'à remporter la campagne de Yorktown, à laquelle Lafayette participa, quant à lui, fort activement. Washington l'avait chargé, bien que ses troupes fussent quatre fois moins nombreuses, de pourchasser les forces anglaises en Virginie placées sous le commandement du général Cornwallis. Celui-ci pensait ne faire qu'une bouchée du marquis : « Le gamin, assura-t-il, ne saurait m'échapper[21]. » Lafayette compensa son infériorité numérique par d'habiles manœuvres de guérilla : « Si je livre bataille, je serai mis en pièces, si je refuse le combat, la Virginie se croira abandonnée. Je me décide donc à une guerre d'escarmouches[22]. » Cette stratégie de harcèlement se révéla payante et contraignit Cornwallis et ses troupes à se retrancher à l'entrée de la baie de Chesapeake dans la place forte de Yorktown, laquelle fut, côté terre, immédiatement assiégée.

Côté mer, les choses allaient également, et parallèlement, évoluer dans le bon sens. Parti de Brest le 22 mars 1781, l'amiral de Grasse et sa flotte arrivent à la Martinique le 28 avril. Début septembre, voguant de là vers les côtes américaines, ils empêchent la flotte anglaise descendue de New York de pénétrer dans la baie de Chesapeake, interdisant ainsi à Cornwallis tout renfort extérieur et condamnant ses troupes assiégées à la reddition, laquelle a lieu le 19 octobre. Lors de cette bataille il y avait, sur terre et sur mer, plus de combattants français que de soldats américains. Au moment de sa reddition, Cornwallis tendit d'ailleurs son épée, non pas à George Washington, mais à celui qui à ses yeux était le véritable vainqueur, le général Rochambeau, lequel, d'un geste discret, l'invita à remettre l'épée en question... au commandant officiel des troupes américaines.

Après vingt et un jours de combat, Cornwallis et, avec lui, le quart des forces anglaises engagées dans la guerre avaient dû rendre les armes. Cornwallis vaincu, la défaite britannique était dès lors consommée dans le Nouveau Monde, tout comme était assuré l'avenir de la future république des États-Unis.

Restait, après Yorktown, à négocier une paix générale et si possible définitive, laquelle mit deux longues années à voir le jour. Lafayette, naturellement, intrigua pour participer à ces pourparlers et y représenter la France, mais Vergennes, craignant l'impulsivité du bouillant marquis, confia la mission à son adjoint. La Paix de Paris, comme on l'appelle, couvre en réalité deux traités signés le même jour (le 3 septembre 1783) : l'un à Paris, 56 rue Jacob, entre les représentants américains (dont Benjamin Franklin) et les représentants britanniques (on y précisa notamment les limites exactes du nouvel État américain) ; l'autre à Versailles entre la France, l'Espagne et la Grande-Bretagne. Chacun y trouva plus ou moins son compte : l'Angleterre, dépossédée de ses colonies américaines, conservait Gibraltar et le Canada ; l'Espagne recevait en partage Minorque et les deux Florides ; la France héritait, elle, du Sénégal et d'une partie des Antilles, dont l'île de Tobago, et retrouvait en Inde la maîtrise de ses huit comptoirs.

Cette longue phase de négociations donna d'ailleurs lieu à des remous dans les trois principaux pays concernés : dans l'Angleterre humiliée, « un vent de fronde souffla sur le pays et faillit conduire le roi à abdiquer » ; à Paris, la signature du traité préliminaire [30 novembre 1782], par lequel le Royaume-Uni reconnaissait l'indépendance totale de ses anciennes colonies et leur abandonnait même tous ses territoires au sud des Grands Lacs jusqu'au Mississippi, provoqua l'indignation des médiateurs français et de la Cour, l'accord s'étant fait à leur insu et au mépris des engagements du Congrès ; en Amérique, un complot militaire lié au non-paiement des combattants (la *Newburgh Conspiracy**), rapidement déjouée par Washington, « fit un instant planer la menace d'une dictature[23] ».

* La conspiration de Newburgh (localité située à une centaine de kilomètres au nord de New York) est un complot organisé en mars 1783 suite au mécontentement des officiers et soldats de l'armée continentale qui n'avaient pas reçu de solde depuis des années : en cas de reprise des hostilités avec l'Angleterre, affirmaient-ils, ils refuseraient de se battre. George Washington calma rapidement la situation au cours d'une réunion des officiers convoqués en urgence le 15 mars 1783.

Le 13 mai 1783, quelques mois avant la signature du traité de Versailles, des officiers américains de haut rang créent la Société des Cincinnati, laquelle est présidée par George Washington et le restera jusqu'à sa mort en 1799. Elle vise à encourager la fraternité entre frères de combat, mais l'adhésion à cet ordre de chevalerie est héréditaire et est censée se perpétuer de mâle en mâle, ce qui, paradoxalement, constitue, dans le cadre de la démocratie égalitaire voulue par les Américains, une forme de noblesse d'un nouveau genre. Le nom vient de Cincinnatus, héros romain qui, après avoir courageusement servi son pays par les armes, décida de fondre son épée pour forger un soc de charrue et continuer à servir sa cité par le travail. L'ordre des Cincinnati a aujourd'hui son siège dans la capitale américaine et compte 3 500 membres. La branche française en compte, elle, 245. « Par ses activités, deux rassemblements annuels commémorent, à Paris, la mémoire du général Lafayette le 4 juillet, jour anniversaire de la fête nationale américaine, et celle de l'amiral de Grasse le 19 octobre, jour anniversaire de la victoire de Yorktown[24]. »

Lafayette, dont Washington souhaitait ardemment la participation, devint le premier membre étranger des Cincinnati. Il fut chargé de l'éligibilité des officiers ayant servi dans l'armée américaine, Rochambeau ayant, lui, pour tâche de puiser parmi les membres de son corps expéditionnaire. Mais très vite les ennuis s'accumulent : désaccord entre Louis XVI et Washington sur les critères d'éligibilité, indignation des prétendants recalés et grosse colère de Lafayette, furieux que Rochambeau « ait convoqué la première réunion de l'ordre à son insu ». Puis l'affaire se politise : les milieux libéraux, dont Franklin et John Adams, « s'insurgent au nom de l'égalité démocratique contre l'hérédité » (critère qui sera finalement supprimé) ; mais la charge la plus violente vient de Mirabeau ; dans un pamphlet signé de sa main, il accuse, entre autres choses, la noblesse de constituer « un obstacle radical entre le talent et le pouvoir ». Lafayette, qui se sent visé, écrit, du coup, à Washington : « Ma popularité est grande dans le royaume, mais il y a, parmi les grands, un nombreux parti contre moi parce qu'ils sont jaloux de ma réputation : en un mot, le parterre tout entier est pour moi et il y a division dans les loges[25]. » La rupture avec Mirabeau semble bel et bien entamée.

Une longue parenthèse européenne

Le 23 décembre 1781, un peu plus de deux mois après la victoire de Yorktown, Lafayette est à Boston où, à bord de l'*Alliance*, il s'embarque à nouveau pour la France. De retour dans son pays, le marquis est réintégré dans l'armée française avec le grade de maréchal de camp.

C'est alors que la France et l'Espagne envisagent une grande opération commune, dont l'objectif est d'en finir une fois pour toutes avec ces satanés Anglais : il s'agit ni plus ni moins de s'emparer de la Jamaïque et de New York. Dans cette vaste perspective, Lafayette voit, lui, renaître son vieux rêve, celui de reconquérir le Canada : « J'entrerai dans le Saint-Laurent à la tête du corps français, on sait que j'ai toujours penché pour l'addition du Canada aux États-Unis[1]. » Il est prévu que les flottes des deux pays se rassemblent à Cadix et soient placées sous le commandement de l'amiral d'Estaing — son adjoint étant, bien sûr, Lafayette, lequel entrevoit là une magnifique occasion d'accroître sa déjà grande célébrité. L'amiral se rend à Madrid et suggère au roi d'Espagne que Lafayette, qui l'y a rejoint, soit placé, du moins à titre provisoire, à la tête de la Jamaïque ; « Ah non, non, s'écrie Charles III, il en ferait une république[2]. » Hélas (ou heureusement) pour les deux hommes, la perspective imminente du traité de Versailles entre la France, l'Espagne et la Grande-Bretagne vint mettre un terme à ces mirifiques projets.

Du coup, en mars 1783, Lafayette retourne à Chavaniac suite au décès d'une des tantes qui l'avaient élevé. Il constate avec effroi la misère qui règne dans la région et, ses propres greniers étant bien remplis, il décide, contre l'avis de son régisseur, de faire distribuer cent setiers de seigle aux pauvres du secteur (un setier équivalant à 127 litres). Il intercède par ailleurs auprès du contrôleur général des finances pour améliorer le sort des paysans de la Haute-Loire et obtient une subvention de 6 000 livres destinée à l'installation d'une école de tissage à Saint-Georges-d'Aurac. Sa vie durant, il n'aura de cesse d'améliorer le sort des plus miséreux.

Il est accueilli dans toute l'Auvergne dans l'allégresse générale. Le 5 avril, toute la population de Riom, paysans et milices réunis, l'acclame aux cris de « Vive La Fayette ! ». La noblesse locale, fière et émue elle aussi, lui propose alors d'ajouter un nouveau titre à celui qu'il possède déjà : le marquisat de Langeac. Il est assurément flatté, mais se dit, au fond de lui-même, qu'il ne saurait « [se] borner à être l'homme de la sénéchaussée d'Auvergne après avoir contribué à la liberté d'un autre monde », ajoutant : « Je ne puis m'arrêter dans ma carrière sans tomber et [...]. Avec la meilleure envie d'être à ma place, il faut que cette place soit sur la brèche politique[3]. »

Au reste, il lui faut d'urgence regagner Paris, car son beau-père, le duc d'Ayen, qui quelques années auparavant s'était démené comme un beau diable pour l'empêcher de voguer vers l'Amérique en révolte, brûle de lui remettre, à l'âge de vingt-six ans, la plus haute distinction du régime : la croix de chevalier de Saint-Louis — ordre royal et militaire créé par Louis XIV en avril 1693.

Le nouveau décoré succombe alors étrangement à une pratique devenue très en vogue dans la capitale : le mesmérisme ou « magnétisme animal ». Le médecin allemand Franz-Anton Mesmer, qui postulait l'existence d'un fluide magnétique universel dont on pouvait faire une utilisation thérapeutique, introduisit l'expression magnétisme animal en 1773. Il prétendait donner une interprétation soi-disant rationnelle à des phénomènes désignés sous le terme général de « transe » et qui, tels quels, semblaient relever de l'irrationnel ou de la magie. Alors qu'il se présentait comme le fondateur d'une science capable de ramener ce qui tenait jusque-là du surnaturel à l'étude des propriétés d'un « fluide naturel », il devint, lui, l'archétype du charlatan — et son « magnétisme animal » l'archétype d'une pseudoscience.

En 1784, Mesmer crée à Paris la Société de l'harmonie, cercle d'aristocrates et de riches bourgeois qui se retrouvent à l'hôtel de Coigny pour pratiquer sa méthode, laquelle consiste en une « forme d'hypnose collective qu'il exerce [...] grâce à son fluide naturel par des passes sur tout le corps du patient », et ce « au centre d'une salle obscure ». Le 9 avril de cette année-là, Lafayette devient un mesmériste convaincu et offre à la société en question une contribution de 2 400 livres, avant de confier dans une lettre à Washington qu'il est « un des plus enthousiastes élèves de Mesmer[4] ». Alerté par les problèmes de moralité publique de l'entreprise (le magnétiseur se mettant parfois au lit avec le patient afin d'accélérer le processus !), Louis XVI charge la Société royale de médecine d'enquêter sur ces pratiques, et celle-ci conclut sans tarder à l'inexistence du fluide magnétique en question. Le roi demande alors au marquis : « Que pensera le général Washington quand il saura que vous êtes devenu le premier garçon apothicaire de Mesmer[5] ? » Dans le cadre de son mesmérisme, Lafayette participa aussi à des rituels nord-amérindiens, convaincu que le « magnétisme animal » était la redécouverte par Mesmer d'une pratique très ancienne et de même nature[6]. Mesmer, quant à lui, quitta la France sans demander son reste.

Du 18 juin au 21 décembre de cette année 1784, Lafayette effectue un troisième voyage à destination de l'Amérique (c'est son avant-dernière traversée et il ignore que la suivante n'aura lieu que quarante ans plus tard). Il embarque à Lorient à bord du *Courrier-de-New-York*, premier paquebot assurant un service régulier entre la France et les États-Unis. Il s'agit pour lui de faire ses adieux à son père spirituel, George Washington, qui l'a lui-même invité à venir — lui et sa femme Adrienne. Mais, comme toujours, il fait seul le voyage, laissant à son épouse le soin de s'occuper de l'intendance ! Le 4 août, il est accueilli à New York par une foule en délire. De réception en réception, de banquet en banquet, il fait le tour des provinces et est partout acclamé avec ferveur. Heureux mais un peu las, il arrive enfin, le 17 août, à Mount Vernon, résidence personnelle de son « père adoptif ». Il y passe deux semaines qui compteront, à l'en croire, parmi les plus belles de sa vie. Le 31, il est à Baltimore où il exalte les vertus de l'armée américaine dans son combat contre l'Angleterre et, faussement modeste, minimise le rôle qu'il a pu jouer dans cette affaire :

> C'est à la fermeté et à la bravoure avec lesquelles vous vous êtes conduits contre l'ennemi que vous devez attribuer les heureux succès de vos armes, et non aux faibles talents que je puis avoir en partage[7].

Il est ébloui par le développement rapide de l'Ouest où s'établit, jour après jour, une population immense venue des autres parties du pays ou de l'étranger. D'Albany où il est fait citoyen d'honneur, il se rend à Fort Schuyler (dans l'actuel quartier new-yorkais du Bronx) où, en compagnie du chevalier de Barbé-Marbois, consul général de France, il participe à une importante rencontre avec les tribus indiennes de la région. Il incite les chefs hurons et sénécas à faire une croix sur leur ancienne alliance avec les Anglais et à signer un traité de paix

1. Portrait de Lafayette à dix-sept ans, attribué à David.
Château de Lafayette, Chavaniac.

« Ma conduite sera à soixante-treize ans ce qu'elle a été à trente-deux. »

2. *Lafayette en uniforme de capitaine du régiment de Noailles* par Louis Léopold Boilly, 1788.
Châteaux de Versailles et de Trianon.

3. Marie Adrienne Françoise de Noailles, marquise de Lafayette.

4. Le château de Chavaniac, demeure familiale de Lafayette.

2

3

4

5

5. La première rencontre de Lafayette (à gauche) avec le général George Washington (à droite), Philadelphie, 3 août 1777.

6

6. Portrait de Lafayette par Antoine Gosselin. Musée franco-américain du château de Blérancourt.

7

7. Reconstruction à l'identique, à l'arsenal de Rochefort, de la frégate *Hermione*, à bord de laquelle Lafayette traversa l'Atlantique pour gagner l'Amérique en 1780.

8

8. *Siège de Yorktown, en octobre 1781*, avec les généraux Rochambeau, Lafayette et Washington par Louis-Charles Auguste Couder, 1836.
Châteaux de Versailles et de Trianon.

9

9. Reddition du général Cornwallis à George Washington, Rochambeau et Lafayette, le 19 octobre 1781 à Yorktown (1845).
Musée franco-américain du château de Blérancourt.

10

10. *Washington* [à droite] *et Lafayette* [à gauche] *à Mount Vernon, 1784*, par Louis Rémy Mignot, 1859.
The Metropolitan Museum of Art, New York.

11. Louis XVI (à gauche) reçu à l'Hôtel de Ville par Jean Sylvain Bailly (maire de Paris, au centre) et Lafayette (à droite) le 17 juillet 1789, par Jean-Paul Laurens.
Hôtel de Ville de Paris.

12

« J'ai tout essayé, excepté la guerre civile que j'aurais pu faire mais dont j'ai craint les horreurs. »

13

12. *Serment de Lafayette à la Fête de la Fédération*. Peinture anonyme.
Musée Carnavalet, Paris.

13. Le marquis de Lafayette en 1792, par Joseph-Désiré Court, 1834.
Châteaux de Versailles et de Trianon.

14. Lafayette en prison à Olmütz, où il fut détenu de 1795 à 1797. Gravure d'après une œuvre de George Morland.

« Ce n'est pas
la tolérance
que je réclame,
c'est la liberté. »

15. Lafayette rejoint en prison par sa femme et ses deux filles, 1797.
Bibliothèque nationale de France, Paris.

16

16. *Lecture à l'Hôtel de Ville de la déclaration des députés et de la proclamation du lieutenant général du royaume, le duc d'Orléans, le 31 juillet 1830* (à gauche, de profil, Lafayette), par Gérard. Châteaux de Versailles et de Trianon.

17

17. Tombe de Lafayette au cimetière de Picpus, à Paris.

18

18. La Grange-Bléneau, château d'Adrienne, où Lafayette termina sa vie.
Musée franco-américain du château de Blérancourt.

« La mémoire est l'esprit des sots. »

19

19. Statue équestre de Lafayette devant la Maison-Blanche, à Washington.

avec les Américains — accord qui fut effectivement ratifié le 14 octobre suivant.

Le 19 octobre, il est à Yorktown où l'anniversaire de la célèbre bataille est célébrée en grande pompe et marqué par un banquet de cinq cents couverts. En Virginie, où il s'est illustré avec ses guérilleros en 1781, il est reçu à Williamsburg avant de se rendre à Richmond où, le 15 novembre, il retrouve George Washington, avant de reprendre avec lui le chemin de Mount Vernon. Le 30 novembre les deux hommes se séparent ; mais peu après, le 6 décembre, pressentant qu'ils ne se reverront plus, Washington adresse une lettre admirable à son toujours jeune ami :

> Je me suis souvent demandé à moi-même, lorsque nos deux voitures se sont éloignées, si c'était la dernière fois que je dusse vous voir, et quoique je désirasse dire non, mes craintes me répondaient oui [...] Mais je ne veux pas me plaindre ; j'ai eu mon jour[8].

Le 8 décembre, Lafayette est à Trenton, où le Congrès lui rend un vibrant hommage. Trois jours plus tard, un comité où tous les États sont représentés lui exprime la vive reconnaissance du pays. Dans son allocution de remerciement, l'invité d'honneur souhaite voir se développer les relations commerciales avec la France (craignant sans doute, ce qui sera le cas, que l'Angleterre ne reste le partenaire privilégié de l'Amérique), mais il met surtout l'accent sur le caractère exemplaire de la nouvelle nation : « Je désire bien sincèrement voir la confédération consolidée [...] Puisse ce temple immense que nous venons d'élever à la liberté [il n'oublie pas son propre rôle] offrir à jamais une leçon aux oppresseurs, un exemple aux opprimés, un asile aux droits du genre humain, et réjouir dans les siècles futurs les mânes de ses fondateurs[9]. »

Le 21 décembre, il quitte New York à bord de *La Nymphe*, frégate française de 32 canons, qui le conduit jusqu'à Brest où il débarque le 20 janvier 1785. De retour du Nouveau Monde, Lafayette brûle maintenant de découvrir l'ancien. En juillet, il est à Postdam où il rencontre le roi de Prusse, Frédéric le Grand, vieil homme décrépit et tordu par la goutte, lequel, sachant que Cornwallis fait, lui aussi, son tour d'Europe, prend un malin plaisir à les placer côte à côte lors des dîners officiels et à les questionner sur la bataille de Yorktown — sur la victoire des uns et la défaite des autres : « Ma réception en Silésie, note le général anglais, n'a pas été flatteuse ; il y avait une préférence évidente pour La Fayette[10]. » Le vieux roi, qui ne prise ni l'égalité ni la liberté et qui, ne supportant pas le pépiement des oiseaux, les fait massacrer par ses gardes, impressionne fort négativement Lafayette, lequel écrit à Adrienne : « Comme ami de la liberté, je prie Dieu de nous garantir de pareil monarque, et si j'avais l'honneur d'être son sujet, il y a longtemps que nous serions brouillés[11] » — propos qui annoncent assez clairement la suite de ses engagements politiques.

En juin 1786, Lafayette est invité à accompagner Louis XVI dans son carrosse royal lors de son voyage à Cherbourg (l'unique voyage de son règne !). Puis il retourne en Auvergne afin de prendre possession de la terre de Langeac qu'il a acquise en avril pour 188 000 livres. Certains, comme le comte d'Espinchal, prétendirent alors que ces achats visaient à faire ériger ses terres auvergnates en duché : « La Fayette [...] se flatta d'être fait duc et, dans cette espérance, il fit l'acquisition de quelques terres aux environs de ses possessions en Auvergne pour pouvoir asseoir un duché[12]. » Là-dessus, il rejoint son cher village de Chavaniac. Dans ses *Mémoires*, il décrit la situation alarmante dans laquelle il a retrouvé l'Auvergne, situation qui concernait alors bien d'autres régions de France : « Ses agriculteurs abandonnent leurs charrues, ses artisans leurs ateliers [...], ses plus industrieux citoyens, dépouillés de ce qu'ils gagnent chez eux [...], n'ont bientôt plus d'alternative que la mendicité et l'émigration. » Plus généralement, il s'indigne, par écrit ou dans ses interventions publiques, des privilèges injustement accordés aux princes et aux protégés du régime, affirmant haut et fort que « tous les millions abandonnés à la déprédation ou à la cupidité sont le fruit des sueurs, des larmes et peut-être du sang des peuples[13] ». Le comte d'Artois, frère du roi, s'inquiète lui aussi de la situation du royaume.

Le 29 décembre, face à la montée des mécontentements, Louis XVI convoque à Versailles une assemblée des notables. Lafayette saisit avidement cette occasion pour mettre en avant quelques-unes des réformes qu'il a méditées : il fait notamment voter la suppression de la gabelle et la mise en liberté des personnes détenues à cause de cet impôt, réclame l'abolition des lettres de cachet et des prisons d'État et présente un document demandant un statut légal pour les protestants et l'abrogation des lois criminelles qui les frappent depuis la révocation de l'édit de Nantes de 1685. Sa demande deviendra réalité avec « l'édit de tolérance » du 19 novembre 1787. Ce célèbre édit accorde aux réformés la validation des mariages, la légitimité de leur progéniture, le droit de propriété et le pouvoir de devenir députés aux états généraux, mais leur dénie encore l'accès aux charges civiles et militaires. Lafayette n'est que partiellement satisfait. Il rappelle qu'il parle au nom d'une sénéchaussée qui compte 500 000 habitants dont 120 000 protestants : « Ce n'est pas la tolérance que je réclame, c'est la liberté ! » Et d'étendre sa demande de liberté à « ces peuples toujours proscrits, errants, vagabonds sur le globe, ces peuples voués à l'humiliation... les juifs[14] ».

Calonne, contrôleur général des Finances, se dit outré par les propos et propositions de nature manifestement subversive du sieur Lafayette et demande au roi de faire embastiller ce dangereux effronté. Louis XVI refuse et, le 8 avril, va même jusqu'à renvoyer son ministre, aussitôt remplacé par Loménie de Brienne, archevêque (athée !) de Toulouse et ami de Lafayette. Brienne prend le titre de « principal ministre » (l'équivalent de nos Premiers ministres d'aujourd'hui). Lors d'une séance de l'Assemblée, Lafayette se lève et suggère que le roi convoque une « Assemblée nationale » ayant pouvoir de voter les impôts. C'est la stupeur, car cela relève de l'autorité exclusive du roi. « Quoi, Monsieur, lui lance le comte d'Artois, vous demandez la convocation des états généraux ? — Oui, Monseigneur, et même mieux que cela. — Vous voulez donc que j'écrive et que je porte au roi : "M. de La Fayette, faisant motion de convoquer les états généraux" ? — Oui, Monseigneur[15]. »

Cette antique institution des états généraux n'avait pas été réunie depuis 1614, époque de la régence de Marie de Médicis. Le roi s'était alors engagé à écouter les plaintes de ses sujets et à pourvoir à leurs griefs. Le tiers état, quant à lui, avait (en vain) demandé que l'autorité du roi de France, « monarque de droit divin », soit reconnue comme « supérieure à l'autorité papale ». La requête de Lafayette n'était donc rien de moins qu'un crime de lèse-majesté, car elle visait à mettre fin au « pouvoir absolu de droit divin » dont jouissait le monarque ; bref, il s'agissait là d'une sorte de révolution qui ne disait pas son nom.

Mais le marquis ne s'arrête pas là et n'hésite pas à offenser directement la reine. Se joignant aux protestations des aristocrates de Bretagne scandalisés d'avoir désormais à payer l'impôt, Lafayette, ardent défenseur de l'égalité fiscale pour tous *mais* propriétaire en Bretagne de vastes domaines hérités de son grand-père maternel, fait cause commune avec les trois cents aristocrates récalcitrants. La réplique va venir de la reine. Toute dépensière qu'elle est face à la misère du pays et à la faillite du Trésor public, celle que le peuple surnomme « l'Autrichienne » ou « Mme Déficit », a en horreur Lafayette et ses idées libérales. S'adressant à cet inattendu meneur des aristocrates de Bretagne, elle lui lance : « Je vous croyais auvergnat ! » Se souvenant qu'il est bel et bien breton par sa mère, il n'hésite pas à lui rétorquer : « Mais Madame, je suis breton comme vous êtes autrichienne[16]. » Suite à cet affront public, Lafayette s'attend à être emprisonné, mais, le 15 juillet 1788, le roi, qui a refusé ses excuses, se contente de lui retirer le titre de maréchal de camp qu'il lui avait attribué suite à la bataille de Yorktown. Douze protestataires bretons furent néanmoins embastillés.

Lafayette, malgré tous ces tracas, ne perd pas de vue ses propriétés de Cayenne (dont Adrienne a la charge) et son idéal abolitionniste. Le 8 février 1786, il écrit à Washington : « Je vais travailler à affranchir mes nègres, expérience qui est, vous le savez, mon rêve favori[17]. » Dans le même esprit, mais deux ans plus tard, lui-même et Adrienne adhéreront à la Société des amis des Noirs fondée le 8 février 1788 par Brissot et Clavière, lesquels militent pour une abolition immédiate de la servitude humaine. L'action persévérante de Lafayette et de ses amis se soldera à terme par la suppression de l'esclavage dans les colonies françaises — sans indemnisation des propriétaires — grâce au décret de la Convention du 16 pluviôse an II (4 février 1794). Inégalement appliqué, ce décret historique sera rapidement abrogé ou révoqué par les tenants de l'esclavagisme. L'esclavage ne sera finalement aboli sur l'ensemble des territoires de la France qu'avec la signature du décret d'abolition du 27 avril 1848 adopté, sous l'impulsion de Victor Schœlcher, par le gouvernement provisoire de la IIe République.

En plus de la Société des amis des Noirs, Lafayette était membre de plusieurs autres clubs où l'on débattait des idées nouvelles : par exemple, la Société des Trente, dont Condorcet était l'un des fondateurs et où il retrouvait, entre autres, Mirabeau, Lacretelle, Talleyrand ou La Rochefoucauld ; également le Club du Palais-Royal, créé en février 1789 à l'initiative de Sieyès et où se rencontraient à peu près les mêmes personnages férus d'idées libérales.

Élu en mars 1789 député de la noblesse de Riom (Auvergne), Lafayette devient le 13 juillet vice-président de l'Assemblée. Quelques jours plus tôt, il a proposé, à l'Assemblée nationale devenue Assemblée constituante, un projet de « Déclaration des droits de l'homme et du citoyen », directement inspirée de la Déclaration d'indépendance américaine de 1776 — et d'ailleurs rédigée avec l'aide de Thomas Jefferson. Le texte, qui se veut un préambule à la Constitution, sera finalement adopté le 26 août. Les deux premiers articles sont ainsi libellés :

Article 1er : Les hommes naissent et demeurent libres et égaux en droits. Les distinctions sociales ne peuvent être fondées que sur l'utilité commune ;

Article 2 : Le but de toute association politique est la

conservation des droits naturels et imprescriptibles de l'homme. Ces droits sont la liberté, la propriété, la sûreté et la résistance à l'oppression.

Le 11 juillet, Louis XVI nomme contrôleur des Finances un homme dur, hostile aux idées nouvelles et généralement détesté, Joseph-François Foullon. Le 21, alors qu'il est à Viry-Châtillon, chez son ami Sartine, ancien secrétaire d'État à la Marine, des paysans et des domestiques l'arrêtent et le conduisent pieds nus à Paris. Il fait chaud ; l'homme, âgé de soixante-quinze ans, a soif ; on lui donne à boire du vinaigre poivré et on lui essuie le visage avec des orties. Le lendemain matin, on le conduit à l'Hôtel de Ville de Paris où il aperçoit Bailly et Lafayette haranguant la foule, mais qui s'abstiennent de demander ouvertement sa libération. Lafayette chercha malgré tout, mais en vain, à le faire emprisonner afin qu'on lui fasse un procès en bonne et due forme : « Je veux, déclara-t-il, que la loi soit respectée, la loi sans le secours de laquelle je n'aurais point contribué à la révolution du nouveau monde et sans laquelle je ne contribuerais pas à la révolution qui se prépare[18]. » Mais ses paroles ne sont pas entendues ou tombent à plat. Foullon est alors pendu à une lanterne : deux fois la corde casse, il retombe ; pendu une troisième fois, il meurt. Un homme le décapite, emplit sa bouche de foin et promène sa tête au bout d'une pique.

Le 14 juillet, à six heures du matin, le tout nouveau vice-président de l'Assemblée, qui séjourne à Versailles, note qu'à Paris « tout est tranquille[19] ».

Ce n'est que dans la soirée qu'il apprend par le vicomte de Noailles que les Parisiens ont envahi la Bastille (et ont libéré les sept malheureux qui y purgeaient leur peine...).

Le 15 juillet, au lendemain de la prise de la Bastille, Lafayette, accompagné d'une délégation de 88 députés, part pour Paris et se rend, au milieu d'une foule considérable, à l'Hôtel de Ville. Dans le discours qu'il prononce, il félicite les Parisiens de « leur courage » et « de la paix et du bonheur » dont ils sont « redevables à la justice d'un monarque bienfaisant[20] ». Il est alors proclamé commandant général de la milice parisienne, titre qui est dès le lendemain officialisé sous le nom de « général en chef de la Garde nationale ». Celle-ci est composée de 48 000 citoyens (de nombreux volontaires issus des couches les plus aisées de la société y adhèrent d'ailleurs spontanément). Bailly, pour sa part, devient par acclamation maire de Paris. Le 17, le roi vient à Paris et est solennellement reçu à l'Hôtel de Ville où il confirme la nomination de Lafayette au poste de commandant de la Garde nationale et reçoit la cocarde tricolore des mains du maire et du marquis — « une cocarde, précise ce dernier, qui fera le tour du monde[21] ».

C'est à ce (nouveau) titre de « général en chef de la Garde nationale » que Lafayette détient la clef (ou l'une des clefs) de la fameuse Bastille, laquelle sera détruite, « au nom de M. de Lafayette » dans le cadre de travaux de démolition qui se poursuivront sans relâche jusqu'au 15 mai 1791. L'idée vint alors au marquis, désormais général en chef, de faire don de la célèbre clef au général Washington, lequel était devenu le 30 avril de la même année président des États-Unis d'Amérique. Ne pouvant quitter la France, Lafayette avait besoin d'un émissaire pour accomplir cette mission et son choix se porta sur son ami Thomas Paine, qui devait sous peu retourner outre-Atlantique. La clef lui fut donc solennellement remise en février 1790 et Paine l'emporta avec lui à Londres au terme de son séjour en France. Mais, une fois arrivé en Angleterre, des circonstances imprévues et complexes l'obligèrent à rester en Europe et à remettre à plus tard (en fait jusqu'en 1802 !) son départ pour l'Amérique. Il pria donc une personnalité américaine de passage, John Rutledge Jr., élu de Caroline du Sud à la Chambre des représentants et fils du premier gouverneur de cet État, de se charger du précieux trophée et de le remettre en main propre au général-président, ce dont Rutledge s'acquitta dans les premiers jours d'août 1790. Aujourd'hui la clef se trouve toujours sur le mur droit du couloir d'entrée de l'ancienne résidence du président américain à Mount Vernon (Virginie), à quelques kilomètres de l'actuelle capitale des États-Unis.

La Déclaration des droits de l'homme et du citoyen servit en fait, nous l'avons signalé, de préambule aux « Articles de constitution de 1789 », texte constitutionnel instaurant en France un régime de monarchie constitutionnelle en lieu et place de la « royauté de droit divin » et des « lois fondamentales » qui l'accompagnaient. Voté par l'Assemblée nationale constituante lors de plusieurs séances échelonnées entre le 3 septembre et le 1er octobre 1789, ce texte comporte dix-neuf articles qui finiront par être acceptés et promulgués le 3 novembre suivant par lettres patentes du roi. Ce texte affirme pour la première fois le transfert de l'origine du pouvoir de Dieu à la Nation (c'est-à-dire aux élus du peuple), de la souveraineté du roi à celle de la loi, et il met pour la première fois en œuvre de façon stricte le principe de la séparation des pouvoirs, c'est-à-dire l'autonomie du pouvoir législatif, lequel est confié à l'Assemblée nationale. Mis en application avant même leur promulgation, ces articles seront en partie repris ou modifiés dans la Constitution de 1791 considérée par les historiens comme la première véritable constitution écrite, du moins s'agissant de la France.

Quelque temps avant cette formidable reculade du roi, celui-ci avait tenté de faire prévaloir la prééminence de son autorité. Le 20 juin, il avait fait interdire l'accès de l'Assemblée aux députés et demandé au comte d'Artois de reléguer ladite Assemblée dans la salle du Jeu de paume. Le 23, en maître absolu, il « casse toutes les délibérations prises depuis le début des États [généraux], annule les décrets, rétablit tous les abus de l'Ancien Régime et ordonne aux [trois] ordres de se séparer tout de suite ». Mirabeau se lève et hurle au marquis de Brézé, grand maître de cérémonie : « Allez dire à ceux qui vous ont envoyé que nous sommes ici par la volonté du peuple et que nous n'en sortirons que par la force des baïonnettes[22] ». Le roi, surpris par tant de résistance, vacille : « Ils veulent rester, s'écrie-t-il, eh bien, foutre, qu'ils restent[23]. » Cette capitulation marqua pour Louis XVI, comme pour la monarchie absolue, le commencement du début de la fin. Quant à Mirabeau, guidé par ses intérêts personnels plus que par ceux de la révolution en marche, il ne tarda pas à jouer double jeu, devenant conseiller secret du roi en échange d'une pension mensuelle et du paiement de ses dettes...

Pendant ce temps, le peuple a faim. Dans la matinée du 5 octobre, un cortège de 7 000 à 8 000 femmes, auquel viennent s'agglutiner de nombreux chômeurs, se met en route pour Versailles avec la ferme intention de réclamer de quoi faire du pain. Lafayette, visiblement mal informé, n'arrivera avec ses hommes que deux heures plus tard. Disposant de troupes sûres déployées autour du château, le roi aurait pu user de la force et mettre rapidement un terme à l'émeute. Mais, sur le conseil de Necker, il laisse la foule envahir l'Assemblée et bivouaquer devant le château. Au matin du 6, plusieurs gardes du corps sont assassinés et les émeutiers (et émeutières) pénètrent jusque dans les appartements royaux. Afin d'apaiser la fureur des manifestants, Louis XVI et Marie-Antoinette, flanqués de leurs deux enfants et du toujours populaire Lafayette, apparaissent à l'un des balcons du château et saluent la foule. Lafayette s'incline devant la souveraine et lui baise la main. Des cris fusent : « Vive le général ! vive la reine[24] ! » Le roi accepte, comme l'exigent les émeutiers, de quitter Versailles et de venir à Paris avec sa famille — mais muni, pour répondre aux besoins de la population, d'importantes quantités de farine et de blé. S'efforçant d'éviter le pire, Lafayette ne put empêcher que le convoi ne soit accompagné des têtes des gardes du corps assassinés brandies au bout de piques. Au terme d'un voyage de neuf heures, la famille royale, escortée tout au long du trajet par Lafayette et sa Garde nationale, s'installe dans la capitale au palais des Tuileries (lequel sera détruit en mai 1871 par un incendie généralement attribué à l'insurrection de la Commune de Paris). Dix jours plus tard, l'Assemblée décide de venir rejoindre le monarque et fait de la salle du Manège le lieu de ses séances (le Manège se trouverait aujourd'hui à peu près à l'angle de la rue de Rivoli et de la rue de Castiglione).

À trente ans, Lafayette semble, quant à lui, être à son apogée. Il invite les Français à se réunir, le 14 juillet 1790, au Champ-de-Mars afin de fêter le premier anniversaire de la prise de la Bastille — rassemblement appelé fête de la Fédération. Talleyrand dit une messe, accompagné dans sa tâche par 300 prêtres et 1 200 musiciens. Tout autour, il y a foule (entre 300 000 et 400 000 personnes). Parmi celles-ci, on peut voir défiler celui qui, deux ans plus tard, sera reconnu français par l'Assemblée nationale, à savoir le premier citoyen du monde, l'Anglo-Franco-Américain Thomas Paine : non seulement il fait partie du cortège, mais c'est lui qui, aux côtés de l'amiral John Paul Jones, porte le drapeau étoilé des États-Unis. Au centre du dispositif se trouve un groupe numériquement et politiquement très important qu'on ne peut pas ne pas distinguer : les députés des 83 départements qui composent alors le pays (1 165 en tout). Sous une pluie battante, ceux-ci reprennent à leur compte le serment de fidélité que, sur l'autel de la Patrie (immense estrade construite pour l'occasion) vient de prononcer Lafayette :

> Nous jurons d'être à jamais fidèles à la Nation, à la loi et au roi ; de protéger, conformément aux lois, la sûreté des personnes et des propriétés, la circulation des grains et subsistances à l'intérieur du royaume, la perception des contributions publiques sous quelques formes qu'elles existent, de demeurer unis à tous les Français par les liens indissolubles de la fraternité[25].

Louis XVI lui-même est présent, ainsi que la reine et le dauphin (mais Lafayette s'est opposé à ce que la reine, qu'il déteste et qui le lui rend bien, soit placée aux côtés du roi), et l'Histoire retiendra, plus encore que la présence du monarque, le fait qu'il ait accepté, en cette occasion solennelle, de prêter publiquement serment « à la Nation et à la loi ». Faisant, malgré lui, la synthèse de l'ensemble de ses récentes abdications, il déclare en effet : « Moi, roi des Français, je jure à la Nation d'employer le pouvoir qui m'est délégué [...] à maintenir la Constitution décrétée par l'Assemblée nationale et acceptée par moi et à faire exécuter les lois[26]. » Le 14 juillet qu'on célèbre de nos jours, et qui est la fête nationale des Français, ne correspond pas à la date de la prise de la Bastille ; il renvoie, en réalité, à cette fête de la Fédération.

Mais tout n'est pas rose en cette période agitée. Le 5 août 1790, trois régiments de la garnison de Nancy, sans solde depuis des mois, s'agitent et réclament haut et fort la paye qui leurs est due. Le 16 août, l'Assemblée dénonce ces mutineries et adopte dans la foulée un décret prescrivant une répression rapide. Cette initiative déclenche un épisode sanglant, qui restera dans l'histoire de la Révolution française comme l'« affaire de Nancy ». Sur place, les trois régiments en révolte ont emprisonné leurs officiers qui refusaient d'accorder aux soldats le contrôle des finances de leurs unités. Le 18 août, le marquis de Bouillé, gouverneur des Trois-Évêchés à Metz — et cousin de Lafayette —, reçoit l'ordre de réprimer la révolte conformément à des instructions écrites de l'Assemblée — et de Lafayette lui-même. Le 31 août, Bouillé marche sur Nancy à la tête de 4 500 hommes, dont un tiers de gardes nationaux. Deux régiments sur trois cèdent et quittent aussitôt les lieux. Mais le troisième régiment, celui des Suisses de Châteauvieux, défend la porte Stainville (aujourd'hui porte ou mémorial Désilles, du nom d'un lieutenant qui s'était interposé pour empêcher le massacre). Bouillé enfonce la porte en question et pénètre au cœur de Nancy après une bataille de rues qui fait 500 morts. La répression qui suit est brutale : 1 soldat est roué, 32 sont pendus et 41 envoyés aux galères. Beaucoup désapprouvent cette répression et manifestent à Paris le 2 septembre 1790. Cependant, Lafayette approuve l'action de son cousin (« Vous êtes le sauveur de la chose publique[27] ») et, le 3 septembre

1791, l'Assemblée félicite même Bouillé par un vote. Mais la réputation de Lafayette sort passablement écornée de cette regrettable affaire.

Elle va l'être encore davantage à l'occasion d'un autre incident historiquement bien plus grave que celui de Metz. Dépossédé de sa royauté, Louis XVI songe à s'enfuir, et c'est Fersen, depuis peu agent de renseignement du roi de Suède Gustave III, qui organise tout, planifiant jusqu'au moindre détail. Il s'agit de prendre nuitamment la route de Metz et de rejoindre Montmédy, où Bouillé accueillera le souverain au milieu de ses troupes et l'aidera à gagner la Belgique, redevenu depuis peu territoire autrichien. Le 20 juin 1791, vers vingt et une heures, Fersen fait venir la berline construite tout spécialement pour l'occasion. Mais le roi n'est pas prêt, retardé qu'il est par l'interminable présence de Lafayette venu tardivement faire sa cour. À minuit et demi, le départ peut enfin avoir lieu. Le lendemain, à sept heures du matin, le valet de chambre du roi se rend compte que son maître a disparu. Prévenu, Lafayette fait irruption chez son ami Thomas Paine et lui lance : « Les oiseaux se sont envolés. — Fort bien, réplique Paine, j'espère qu'on n'essaiera pas de les rattraper[28]. » On a prétendu que Lafayette aurait fait croire à un « enlèvement » de la famille royale par les ennemis de la France et qu'il aurait donné ordre à tous les gardes nationaux, ainsi qu'à tous les citoyens, d'arrêter les coupables ; mais cette thèse invraisemblable ne repose sur aucune preuve sérieuse. Toujours est-il que la stupeur, l'indignation et la colère emplissent tout d'abord le cœur des Français ; mais très vite c'est la peur — la peur du vide et de l'inconnu — qui, chez la plupart d'entre eux, finit par l'emporter. Ainsi s'explique le relativement bon accueil que le peuple fera au roi après son arrestation à Varennes et son retour à Paris où il est, du moins théoriquement, rétabli dans ses fonctions.

Malgré l'indulgent sursis accordé à Louis XVI, l'idée républicaine commence à faire son chemin. Des clubs de pensée fleurissent à Paris et dans tout le pays. Lafayette est un temps membre d'un club aux idées avancées, celui des Jacobins, mais après la fuite du roi à Varennes et le « massacre » du Champ-de-Mars de juillet 1791, le club en question se scinde. Les plus modérés (Barnave, Lafayette) mettent, du coup, sur pied une autre association d'échanges intellectuels et politiques, le club des Feuillants. Sous l'impulsion de ceux qui se sont déclarés pour la déchéance de Louis XVI (Brissot, Pétion, Robespierre), le club des Jacobins prend alors le nom de Société des amis de la liberté et de l'égalité et s'oriente vers des positions proches du républicanisme, la plupart de ses représentants constituant dès lors l'aile gauche de l'Assemblée législative. Rejetant les idées « républicaines » avancées par les Jacobins, Lafayette demeure, quant à lui, fermement attaché au concept de monarchie constitutionnelle. Jamais, au demeurant, il ne se ralliera à l'idéal républicain.

« Le 24 juin, pendant le retour piteux du roi, une pétition réclamant l'instauration de la république a réuni à Paris trente mille signatures [...] mais ces aspirations ne sont pour l'heure que celles d'une petite minorité. » Cependant, certains intellectuels, au nombre desquels Thomas Paine et ses amis (Condorcet, Duchâtelet, Brissot ou Nicolas de Bonneville) comprennent mal qu'un pays et surtout qu'une classe dirigeante continuent de s'incliner devant un roi félon « qui les a si opportunément soulagés de sa présence ». Fin juin, ils créent un nouveau club aux idées plus avancées encore que celui des Jacobins : la « Société républicaine ». Paine élabore alors un manifeste appelant les Français à en finir avec une monarchie qui ne leur a valu qu'une « longue suite de malheurs publics ». Le manifeste, qui propose une proclamation immédiate de la république et une déposition non violente de « Louis Capet », est aussitôt placardé sur les murs de la capitale et même cloué sur le portail de l'Assemblée nationale. L'initiative de Paine suscita, on s'en doute, un vif émoi dans l'opinion comme parmi les députés. À ce stade, personne ou presque n'avait en tête l'éventualité d'une république. Beaucoup parlèrent d'outrage à la Constitution et à l'ordre public. Un député de Paris, Martineau, exigea, lui, l'arrestation immédiate des auteurs de l'affiche et, s'exprimant devant le club des Jacobins, Robespierre n'hésita pas à déclarer : « On m'a accusé au sein de l'Assemblée d'être républicain. On m'a fait trop d'honneur, je ne le suis pas[29] ! » Apparemment, il restait beaucoup de chemin à parcourir pour en finir avec la monarchie, mais il arrive que l'histoire s'accélère et que les choses aillent plus vite que ce qu'on pouvait prévoir.

Dans le contexte mouvant où se trouvait alors la France, le fait est que l'opinion bouge, que les esprits s'échauffent et que beaucoup, quel que soit leur milieu, s'interrogent.

Nombreux, en effet, sont ceux qui, au fond d'eux-mêmes, souhaitent la déchéance d'un monarque perçu comme indigne d'être roi. Ils s'activent d'ailleurs à faire signer des pétitions qui vont toutes dans ce sens. Le 17 juillet 1791, alors que lesdits pétitionnaires sont assemblés sur le Champ-de-Mars, on découvre deux hommes dissimulés sous l'autel de la Patrie où sont recueillies lesdites pétitions et les 6 000 signatures qui s'y trouvent. La foule égorge aussitôt ces individus qu'elle prend pour des royalistes. Lafayette et sa Garde nationale sont dépêchés sur place par l'Assemblée. Un coup de feu part soudain. Lafayette, lui-même mis en joue, ordonne de tirer sur la foule. Le maire de Paris, Bailly, fait proclamer la loi martiale et envoie des troupes en renfort qui sont accueillies par des jets de pierres. Un artificier s'apprête à mettre un canon à feu, mais Lafayette s'interpose pour éviter le pire. Un nouveau coup de feu éclate. Les bataillons chargent. Une fois la poussière dissipée et la poussière retombée, chacun s'aperçoit que le sol est jonché de cadavres et de blessés. Il y a entre 20 et 50 morts (nul ne connaît le nombre exact). Reste que Lafayette est désormais exécré par le peuple de Paris. Des forcenés hurlent : « Il faut tuer sa femme et porter sa tête devant lui ! » Camille Desmoulins, animateur du club des Cordeliers aux côtés de Danton — et aux yeux de qui « Louis et Antoinette sont des ennemis publics » —, qualifie le marquis de « Don Quichotte des Capets[30] ». Le nom de ce marquis-Don Quichotte figurera bientôt sur la liste noire des adversaires de la Révolution.

En novembre 1791, ayant abandonné le commandement de la Garde nationale, Lafayette souhaite occuper le poste envié de maire de Paris — Bailly ayant démissionné le 23 septembre précédent. Il se porte donc candidat à l'élection organisée à cette fin le 16 novembre. Le poète André Chénier soutient ardemment sa candidature et écrit : « Un peuple libre n'a pas de plus beau moyen pour récompenser un citoyen qui a bien servi sa patrie que de lui donner une occasion de la servir encore[31]. » Peine perdue : avec seulement 3 126 voix, il est largement battu par Pétion, président jacobin de l'Assemblée, qui en obtient plus du double (6 728) — dans un scrutin marqué par 90 % d'abstentions ! Il semble dès lors que sa carrière politique est bel et bien compromise.

Le 20 avril 1792, il n'en est pas moins nommé par l'Assemblée commandant de l'armée du Centre. Il est vrai que, ce même jour, la France a déclaré la guerre au roi de Bohême et de Hongrie. Ce qui se passe en France ne laisse pas d'inquiéter les autres pays d'Europe qui tous vivent sous des régimes de type monarchique. On se souvient que Marie-Antoinette était d'origine autrichienne, qu'elle avait par l'intermédiaire de Fersen informé sa famille de son intention de quitter la France — la fameuse fuite à Varennes ayant pour objectif final de permettre à Louis XVI et aux siens de gagner Metz, puis la Belgique, alors annexe de l'Autriche. Le 27 août 1791 a donc lieu à Pillnitz une rencontre importante entre l'empereur d'Autriche et le roi de Prusse. La simple déclaration d'intention qui en émane se borne à inviter les autres souverains d'Europe à joindre leurs forces aux leurs, auquel cas ils pourraient passer à l'action. Il s'agit, pour l'heure, d'intimider les Jacobins et d'apparaître comme un ultimatum aux yeux des princes français émigrés qui résistent à tous les appels au retour, ne rêvent que de vengeance et ne songent qu'à rétablir l'ordre ancien — Lafayette parlait, lui, de cette « funeste épidémie de l'émigration[32] ».

Largement diffusée dès le lendemain de sa signature, la déclaration de Pillnitz dépasse les espérances de ses auteurs et se répand en tous lieux. Léopold II (frère de Marie-Antoinette), persuadé qu'il a sauvé Louis XVI en intimidant les Jacobins de la Constituante, demeure convaincu que la menace d'une intervention suffira à affaiblir la fougue jacobine. Le 12 novembre, fort de ces certitudes, il invite à nouveau les cours européennes à réaliser l'union pour intimider les révolutionnaires français. Cette ingérence de l'Autriche est très mal perçue par les Français et la Révolution se sent menacée. Le sentiment national est, lui, exacerbé. L'effet de peur, sur lequel comptait Léopold II, échoue et se retourne contre lui, renforçant en France le camp des partisans de la guerre.

Louis XVI a certes perdu ses anciens privilèges de monarque absolu, mais la nouvelle Constitution, qu'il a acceptée le 14 septembre 1791, ne le laisse pas pour autant sans pouvoir. Le roi possède toujours le titre de représentant de la Nation et, s'il n'a plus le « droit de guerre », l'Assemblée législative ne peut déclencher le moindre conflit sans que le souverain lui en fasse la demande expresse.

C'est dans ce cadre et dans cet esprit que, le 20 avril 1792, Louis XVI se rend à l'Assemblée législative et écoute le rapport établi par Dumouriez, alors ministre des Affaires étrangères, rapport qui propose une déclaration de guerre sous certaines conditions : « La Nation française, précise le texte, n'entreprend aucune guerre dans la vue de faire des conquêtes, et n'emploie jamais ses forces contre la liberté d'aucun peuple, [elle] ne prend les armes que pour la défense de sa liberté et de son indépendance[33]. » Mais, sur le fond, le message est clair : toutes les responsabilités sont rejetées sur l'Autriche. Le roi propose alors à l'Assemblée de déclarer la guerre à cette dernière. Les députés votent ensuite le décret, proposé par Gensonné, qui décide de l'ouverture effective des hostilités (seuls 7 votes sur 750 sont négatifs).

La guerre, indique le décret en question, est déclarée au « roi de Bohême et de Hongrie », clause de style qui s'explique par le fait que le souverain habsbourgeois n'a pas encore été couronné empereur ; l'Assemblée indique ainsi qu'elle ne désire pas faire la guerre à la totalité des États allemands du Saint Empire romain germanique, mais uniquement au souverain autrichien. Pour les Français, qui s'attendaient au conflit depuis longtemps, l'accueil de cette nouvelle ne provoqua aucun véritable remous.

Lafayette reçut pour instruction, pour lui-même et ses 62 000 hommes, d'adopter « un système d'invasion qui puisse favoriser l'insurrection presque générale des Belges et des Liégeois qui n'attendent que notre entrée dans leur pays pour lever l'étendard » — entrée ayant pour unique objectif d'« assurer la liberté » des habitants. Mais les troupes françaises se heurtent à une résistance inattendue de la part des Autrichiens, résistance qui vient cependant confirmer un préjugé très répandu parmi les officiers, celui d'une supériorité des forces ennemies. Plusieurs pans de l'armée, hormis ceux que dirige directement Lafayette, sont mis en déroute. Les désertions se multiplient et des bruits de trahison commencent à circuler. À Paris, les ministres dits responsables ne restent à leur poste que quelques semaines ou quelques mois et démissionnent. On s'aperçoit de surcroît que, contrairement à ce qui avait été prévu, le Brabant n'est aucunement disposé à se soulever. Seule l'armée du Centre, celle du marquis, a su conserver, dans cette campagne confuse et manifestement ratée, un minimum de discipline et de cohésion.

Le 11 juillet suivant, Lafayette est, du coup, nommé commandant de l'armée du Nord. Il n'a alors que trente-quatre ans mais n'a quasiment aucune pratique de la conduite des grandes unités. On a prétendu que, devant la difficulté et sans doute l'impossibilité de la tâche qui l'attendait (lui et l'armée française), il aurait tenté de négocier avec l'Empire. Peut-être, en effet, y eut-il des rencontres et des échanges, mais personne n'en connaît le contenu. Malgré l'absence de preuves, il est permis de penser que, préoccupé par le chaos politique qui régnait visiblement à Paris ainsi que par la faiblesse relative et l'impréparation de ses troupes, toutes nombreuses qu'elles fussent, il songea à négocier discrètement une sorte d'armistice lui permettant de retourner à Paris afin de défendre et le roi et la Constitution.

Le général fut alors accusé par certains d'être lié à un prétendu « comité autrichien » chargé, à l'initiative de la reine, de mener des tractations secrètes avec les autorités de Vienne. Il n'existe aucune preuve d'une pareille initiative, si tant est qu'elle ait jamais existé. L'historien-biographe Étienne Taillemite explique pour sa part que, parmi les « royalistes mitigés », ainsi que parmi les constitutionnels, certains, à en croire Lafayette, « souhaitaient une intervention étrangère mais limitée à des démonstrations et à des menaces qui auraient placé le roi en position d'arbitre et de médiateur et permis un renforcement de l'autorité royale en fortifiant la monarchie constitutionnelle ». Lafayette lui-même estimait que cette affaire avait été « fort exagérée par l'esprit de parti[34] ». Mais elle eut des conséquences politiques : la haine jacobine s'en prit à la garde constitutionnelle du roi, commandée par le duc de Brissac, et désormais décrite comme étant l'instrument du pseudo-comité autrichien. Bien que « constitutionnelle », la garde incriminée fut aussitôt, et de façon tout à fait illégale, licenciée par l'Assemblée (la Garde nationale assurant désormais son service). Quant à Brissac, il fut arrêté et mis en accusation. « La cassation de la garde, commenta alors Lafayette, fut anticonstitutionnelle, et ceux qui la votèrent sont inexcusables[35]. »

Le 7 août, la mise en accusation de Lafayette est demandée par l'Assemblée, Brissot lui imputant dès le lendemain, et pendant plus de deux heures, toutes sortes de méfaits. Songeant au « comité autrichien », il explique qu'une « coalition infernale a empoisonné son esprit, l'a arraché aux principes et à sa gloire ». Et de poursuivre dans la même veine : « Je l'accuse d'avoir abusé du pouvoir et des forces que la nation a mis dans sa main, d'avoir compromis la sûreté de l'État et violé la Constitution [afin de] s'arroger une autorité supérieure aux autorités constituées. Tous ces faits sont des crimes, et la loi les punit de mort [...] M. de Lafayette veut à tout prix être le modérateur de la France. [...] Il lui importe d'avoir l'air de protéger le roi, d'avoir un prétexte pour faire approcher son armée de la capitale et d'y jouer le rôle de dictateur[36]. » L'idée que Lafayette ait pu faire preuve d'intelligence avec les émigrés et les puissances étrangères était si absurde que sa mise en accusation fut rejetée par 406 voix contre 224. La salle était environnée par une foule soudain prise de rage et déterminée à bloquer les issues. Plusieurs députés furent violemment agressés, frappés, menacés de mort et ne durent leur salut qu'à l'intervention de la Garde nationale.

La journée du 10 août, qui, à en croire Lafayette, marqua « le passage [...] de l'ère de la liberté, des bons principes et des bons sentiments à l'ère de la Terreur et de l'incivisme » se solda, pour lui, par l'échec absolu des conceptions et des aspirations qui étaient les siennes. La préparation de cette journée, organisée et menée par la Commune insurrectionnelle de Paris et par les sections parisiennes, fut lourde de conséquences pour la suite de la Révolution et pour l'avenir du pays : après avoir mené plusieurs assauts, le peuple s'empara du palais des Tuileries, siège du pouvoir exécutif, mais il dirigea aussi son action contre l'Assemblée elle-même. Cette journée révolutionnaire entraîna la chute de la monarchie constitutionnelle, autrement dit la fin de la royauté.

Lafayette vit aussitôt arriver de Paris trois émissaires qui lui firent entendre qu'il ne tenait qu'à lui « d'obtenir la plus grande puissance dans le nouveau gouvernement et d'y jouer le premier rôle ». Pour lui, qui ne rêvait que de faire sortir le roi de la capitale, cette proposition n'était qu'une ruse, si bien qu'il n'hésita pas à faire arrêter les trois émissaires. Et, de fait, dès le 14 août, Danton demanda son arrestation. Trois jours plus tard, le Conseil exécutif provisoire, nouvelle instance chargée d'assurer le pouvoir, décida de relever le général de son commandement et de le remplacer par Dumouriez. Le 19, Lafayette fut déclaré traître à la nation et se retrouva officiellement mis en accusation.

Il songea tout d'abord à se rendre à Paris pour répondre en personne à ses accusateurs, mais, ne se faisant guère d'illusions sur le sort qui l'attendait, il renonça vite à ce projet aventureux et entreprit de trouver asile dans un pays neutre afin de « soustraire aux bourreaux sa tête proscrite, dans l'espoir qu'elle pourrait un jour servir encore la liberté et la France[37] ». Ayant pris toutes les dispositions et précautions nécessaires pour que son départ ne cause aucun dommage à son armée, il quitte Sedan dans la nuit du 19 août, accompagné de 15 officiers, et se dirige vers la forêt des Ardennes. Il franchit les lignes autrichiennes et est rejoint à Rochefort (Belgique) par 7 autres membres de son état-major, dont le maréchal de camp, Alexandre de Lameth. S'imaginant que le gouvernement impérial respecterait sa liberté de mouvement, le marquis entendait d'abord se rendre en Hollande, puis, de là, gagner l'Angleterre et, pour finir, faire à nouveau la traversée jusqu'aux États-Unis. Mais les choses ne se passèrent pas comme il les avait conçues. N'étant point munis de passeports, les fuyards furent arrêtés à Rochefort même et transférés sous bonne escorte à Namur. Le 21 août, il écrit, de Rochefort, une lettre à sa femme où il explique le déchirement qu'il éprouve à quitter sa patrie : « Quant à moi, ma perte est jurée depuis longtemps. J'aurais pu, avec plus d'ambition que de morale, avoir une existence fort différente de celle-ci, mais il n'y aura jamais rien de commun entre le crime et moi. J'ai, le dernier, maintenu la Constitution que j'avais jurée[38]. » Le 24 août, le duc Albert de Saxe-Teschen ordonna qu'on les traite, lui et ses hommes, comme prisonniers de guerre « puisqu'ils ne peuvent nier avoir été [...] nos ennemis, qu'ils nous ont fait la guerre [et] qu'ils ne viennent pas chez nous comme émigrés, mais toujours imbus de leurs anciens principes[39] ».

Du 2 au 6 septembre 1792 ont lieu, à Paris mais également en province, toute une série d'exécutions sommaires (les fameux « Massacres de septembre »). L'avance des troupes prussiennes enflamme les Parisiens, qui jugent trop indulgent pour les suspects le tribunal criminel qui a été institué le 17 août à la demande de la Commune. Membre du comité de surveillance de ladite Commune, Marat fait afficher le 1er septembre des placards réclamant qu'en la matière la justice soit rendue directement par le peuple, afin de ne pas exposer aux intrigues des « traîtres » les familles des patriotes partant vers les frontières.

La nouvelle de la prise de Verdun (2 septembre) accroît la nervosité des couches populaires. Plusieurs sections, entraînées par celle du faubourg Poissonnière, exigent la mise à mort des suspects emprisonnés. Devant la carence du Conseil exécutif provisoire, les sectionnaires vont dans les prisons où, après des simulacres de jugement rendus par un « tribunal du peuple », ils se livrent à des massacres qui durent cinq jours — à l'Abbaye, au couvent des Carmes, à Saint-Firmin, à la Conciergerie, à la Force, à la Tour-Saint-Bernard, au Châtelet, à la Salpêtrière, à Bicêtre, et qui s'étendent à la province. Ces massacres firent plus de 1 100 victimes, dont un bon nombre de prêtres réfractaires, d'aristocrates et de détenus de droit commun. Cette première manifestation spontanée de la Terreur, dont Danton et Marat furent tenus pour responsables par les Girondins, fit une profonde impression et provoqua beaucoup d'inquiétude à l'étranger.

Lafayette, fait prisonnier, est remis par l'Autriche à la Prusse et est aussitôt transféré dans la forteresse de Wesel au nord-ouest de la Ruhr, où il arrive avec ses compagnons le 13 septembre et où il passera plus de trois mois. Les conditions de détention sont particulièrement rudes. Mis au secret, il est privé de toute communication, que ce soit avec ses compagnons ou avec l'extérieur. Lafayette tombe alors malade. Le 31 décembre, en plein hiver, les prisonniers sont transférés à Magdebourg, forteresse prussienne située en Saxe, à environ 150 kilomètres de Berlin. En cours de route, « tandis qu'ils prenaient, sous bonne garde, leur repas dans une auberge de la petite ville de Hamm, le comte d'Artois et le comte de Provence, frères de Louis XVI, faisaient bonne chère à une table voisine et prenaient un plaisir manifeste à voir Lafayette en si piteux état[40] ». À peine arrivés, Lameth est, pour sa part, libéré. Les autres sont internés dans la citadelle. Gardé en permanence par deux sentinelles, Lafayette a droit, lui, à un cachot froid, humide et de petite dimension, où le soleil ne perce jamais. On ne lui procure point de gazettes et il ne dispose ni d'encre, ni de plume, ni de papier, ni de crayon. Il parvient néanmoins à expédier quelques lettres, dont une à la princesse d'Hénin, dans laquelle il lui explique qu'il s'est miraculeusement procuré une feuille de papier, mais qu'il lui écrit « avec un curedent » ! Malgré sa mise au secret, il parvient à apprendre les succès des armées françaises qui le remplissent de joie, « l'assassinat du roi », qui fait plus que le désoler, car, dans cette tragique affaire, dit-il, « toutes les lois de l'humanité, de la justice et du pacte national ont été foulées aux pieds[41] ». Dans ses *Mémoires*, il évoquera « ce malheureux Louis XVI, dont ses prétendus amis auraient mieux aimé la perte que de le voir sauvé par moi[42] ». Il apprend aussi la mort de son ami La Rochefoucauld, massacré à Gisors en septembre : « Voilà le crime qui a profondément ulcéré mon cœur ! La cause du peuple ne m'est pas moins sacrée ; je donnerais mon sang goutte à goutte pour elle [...] mais le charme est détruit[43]. » Par ailleurs, il reste sans nouvelles de sa famille, dont toutes les lettres sont soigneusement confisquées.

Sa femme écrit alors à George Washington et lui demande d'intervenir en faveur de son mari. Dans sa réponse, le président américain exprime le chagrin qu'il ressent à l'idée que son fils spirituel connaisse un tel sort, mais « il estime ne pas être en mesure de faire une démarche qui risquerait d'apparaître comme une ingérence dans les affaires intérieures d'une autre nation[44] ». Il accepte cependant de recevoir dans sa famille, et d'y intégrer comme parent, le jeune George-Washington Lafayette, lequel répondra effectivement à cette « paternelle » invitation en février 1795.

Au bout d'un an passé à Magdebourg, Lafayette est à nouveau transféré, mais cette fois à Neisse, en Silésie, où il arrive le 16 janvier 1794 et où il va passer quelques mois dans des conditions un peu moins rigoureuses. Mais c'est là qu'il apprend que Marie-Antoinette a été guillotinée. En mai 1795, suite au traité de paix conclu entre la France et la

Prusse, il est, ainsi que Bureaux de Pusy et Latour-Maubourg, rendu aux Autrichiens et incarcéré dans la forteresse moldave d'Olmütz. Les trois prisonniers sont séparés et privés de toute communication avec le monde extérieur. La captivité du marquis va être très rude et va durer cinq ans. On lui ôte jusqu'aux boucles de ses chaussures et on le prive de son domestique qu'il avait jusque-là pu conserver. On lui interdit tout contact avec l'extérieur et on lui supprime même son nom : il n'est plus que le « prisonnier numéro 2 ». Il tombe alors malade et a droit, de ce fait, à une promenade par jour dans le parc.

Un admirateur allemand, le Dr Bollmann, entreprend alors de le libérer. Il va se faire aider dans ce projet fou par un étudiant américain, Francis Huger, le propre fils du major Huger qui, en juillet 1777, avait accueilli Lafayette et les autres passagers de *La Victoire* à South Inlet en Caroline du Sud. Informés de l'heure de la promenade quotidienne accordée au marquis, les deux hommes parviennent à l'arracher aux gardes chargés de sa surveillance et à prendre le large avec lui. Pour mieux échapper aux poursuites, le trio se sépare. Lafayette s'éloigne à cheval avec Bollmann, puis le quitte, mais, au lieu de foncer vers le point de ralliement, il se trompe de route. Bientôt rattrapé et repris, il est à nouveau mis au secret. Huger et Bollmann sont, eux aussi, arrêtés : ils seront l'un et l'autre condamnés à six mois de travaux forcés.

Le sort d'Adrienne n'était guère plus enviable. Le 10 septembre 1792, à huit heures du matin, elle est arrêtée dans son château de Chavaniac suite à une décision du Comité de sûreté générale qui ordonne qu'elle soit conduite à Paris, décision confirmée par Roland, alors ministre de l'Intérieur. Tout au long de la route qui, dans un premier temps, la conduit au Puy, elle est saluée avec sympathie par les passants, même si, en prélude aux Massacres de septembre, quelques voyous lancent des pierres en direction de la voiture qui la transporte. Arrivée au Puy, elle déclare aux responsables locaux, tous élus départementaux : « Je me place avec confiance sous la protection du département parce que je vois en lui l'autorité du peuple et que partout où je la trouve, je la respecte [...]. Je me constitue votre prisonnière[45]. » Consciente qu'elle va être retenue comme otage, elle demande, à défaut de pouvoir rejoindre son mari, la permission de rester prisonnière sur parole à Chavaniac. Le 12, elle écrit en ce sens à Brissot, avec qui elle a été en relation lors de la création de la Société des amis des Noirs, et le prie de transmettre sa lettre à Roland. Tandis qu'elle attend au Puy la réponse de Paris concernant sa requête, elle découvre, à la lecture du journal de Brissot *Le Patriote français* que, loin d'avoir été relâché, son mari est devenu « le Prisonnier de l'Europe » et va, pense-t-on, être conduit à la forteresse de Spandau. C'est donc avec beaucoup de regret et de tristesse qu'elle reçoit l'autorisation, si ardemment demandée, de se fixer à Chavaniac.

De nouveau arrêtée et emprisonnée à Brioude le 13 novembre 1793, Adrienne y reste détenue pendant six longs mois. En dépit de sa conduite exemplaire, elle est alors transférée à Paris et internée, fin mai 1794, à la prison de la Force, près de l'actuel quartier Saint-Paul, puis au collège du Plessis. C'est là qu'elle apprend la mort sur l'échafaud de sa grand-tante, la duchesse de Mouchy, de sa grand-mère, la duchesse de Noailles, de sa mère, la duchesse d'Ayen, de sa sœur Louise de Noailles et de son mari, le maréchal. Elle s'attendait forcément à connaître le même sort, mais tel ne fut pas le cas. On peut penser que son salut résulta de deux événements décisifs : l'exécution de Robespierre (le 28 juillet 1794) et l'intervention du représentant des États-Unis à Paris, Gouverneur Morris, sans compter les efforts de James Monroe et de sa femme, Élisabeth, qui alla jusqu'à rendre visite à Adrienne dans sa geôle. De fait, celle-ci retrouva la liberté en janvier 1795.

Loin de jouir de sa liberté retrouvée, Adrienne se met alors en tête de partager, avec ses deux filles, la captivité de son mari jusqu'au jour de sa libération. Elle en fait la demande à l'empereur François II et obtient satisfaction. L'entrée en Autriche étant interdite à tout Français non émigré, elle prend le nom « américain » de Mrs. Motier, originaire du Connecticut, et, le 15 octobre 1795, se présente à la prison d'Olmütz. Lorsque, accompagnée d'Anastasie et de Virginie, elle est mise en présence du prisonnier, elles ont du mal à le reconnaître tant il est squelettique. Les conditions alors imposées aux trois femmes sont on ne peut plus dégradantes : Adrienne partage la cellule de son mari, mais les deux filles sont parquées dans une cellule sombre, malsaine et sans cesse empuantie du seul fait qu'elle est contiguë aux latrines des gardes. Leurs chandelles sont éteintes à neuf heures du soir et elles n'ont pas le droit de s'en servir la nuit. « Atteinte d'une fièvre maligne, le corps couvert d'abcès, souffrant d'atroces migraines, Mme de La Fayette, note Gonzague Saint Bris, n'est autorisée à consulter un spécialiste, à Vienne, que si elle prend l'engagement de ne plus revenir à Olmütz ; elle refuse avec hauteur[46]. » La présence d'Adrienne et de ses deux filles eurent, malgré toutes les contraintes et restrictions imposées, un effet bénéfique sur les conditions de captivité de Lafayette, adoucissant notablement ses deux dernières années d'emprisonnement. Chaque jour à midi, Anastasie et Virginie étaient extraites de leur cellule et, accompagnées de leurs gardiens armés de longs sabres, rejoignaient leurs parents et passaient avec eux le reste de la journée.

Le 19 septembre 1797, soit cinq ans après son arrestation en Belgique, le marquis et sa famille purent enfin, la France étant depuis quelque temps débarrassée de la Terreur, sortir libres de la prison d'Olmütz. Après la défaite de l'Autriche face aux troupes françaises, les deux pays avaient signé le 15 avril 1797 les accords de Leoben (préliminaires au traité de Campo-Formio), dont l'une des clauses stipulait que Lafayette et les siens soient libérés. Bonaparte avait été chargé par le Directoire de « mettre comme condition du traité que nous demandons la liberté de Lafayette, odieusement arrêté sur territoire neutre et par violation manifeste du droit des gens[47] ». Mais si Bonaparte était, au nom du Directoire, à l'origine de cette libération, il n'entendait pas que Lafayette, dont il se méfiait politiquement, fût autorisé à rentrer en France. Le marquis avait d'ailleurs fait savoir à un émissaire venu exprès de Paris, le général de Chasteler, qu'il approuvait le nouveau gouvernement de son pays, mais ne souhaitait point y retourner dans l'immédiat, attitude que le Directoire avait manifestement appréciée.

Les Lafayette, qui se sont engagés à quitter les États de l'Empereur dans les douze jours suivant leur délivrance, quittent donc Olmütz, mais ils le font, précisent les autorités de Vienne (soucieuses de sauver la face) « par déférence pour le gouvernement des États-Unis qui avait réclamé leur libération[48] ». Ils sont conduits jusqu'à Hambourg, où ils arrivent le 4 octobre, et y sont remis, en présence de Gouverneur Morris arrivé juste à temps, au consul américain John Parish. Ils sont reçus là par l'ensemble de la colonie américaine, foule très nombreuse et enthousiaste. Parmi elle figure le doyen des commerçants, George Williams, qui fait l'éloge du libérateur du Nouveau Monde et l'invite à se rendre en Amérique :

> Si vous choisissez d'entreprendre la traversée de l'Atlantique, nous vous donnons l'assurance, à vous, à votre aimable famille et à vos compagnons, que tous les citoyens des États-Unis vous accueilleront avec leur cœur et leur affection[49].

Gilbert et Adrienne sont naturellement bouleversés de voir que, par cette réception officielle, les

États-Unis, leur seconde patrie, ont été les premiers à leur manifester reconnaissance et affection et à leur proposer un refuge. L'Amérique les tente assurément, mais Lafayette n'oublie par pour autant sa patrie de naissance, ni qu'il doit sa libération à Bonaparte. Le 6 octobre, il adresse au généralissime de l'armée d'Italie une lettre pleine de gratitude — et ponctuée de flatteries : « Les prisonniers d'Olmütz, heureux de devoir leur délivrance à vos irrésistibles armes, avaient joui dans leur captivité de la pensée que leur liberté et leur vie étaient attachées au triomphe de la république et à votre gloire personnelle. Ils jouissent aujourd'hui de l'hommage qu'ils aiment à rendre à leur libérateur. » Et d'adresser leurs vœux les plus chers à « l'illustre général auquel nous sommes encore plus attachés pour les services qu'il a rendus à la cause de la liberté et à notre patrie, que pour les obligations particulières que nous nous glorifions de lui avoir[50] ».

Les Français, pour la plupart des émigrés royalistes, sont nombreux à Hambourg et, s'agissant de Lafayette, c'est la haine qui les habite. Non seulement ils s'abstiennent de lui faire fête à l'instar des Américains, mais certains d'entre eux sont allés jusqu'à demander à François II de leur livrer le prisonnier d'Olmütz afin de pouvoir le châtier eux-mêmes ! Reste qu'en ce fameux 6 octobre, Lafayette reçoit — unique hommage de son pays — la visite du comte Reinhart, ministre de France à Hambourg. Mais, une fois passé le moment des compliments, Reinhart cherche aussitôt, et sans ambages, à obtenir du marquis qu'il se rallie au Directoire. Non seulement celui-ci n'en fait rien, mais il se lance dans une diatribe féroce contre ce qui se passe en France, comparant le coup d'État du 18 fructidor an V (4 septembre 1797) — avec son rejet des récentes élections, la suppression de quarante-deux journaux, ses arrestations arbitraires et les multiples déportations en Guyane — aux sanglants événements du 10 août 1792 et à l'assaut vengeur contre les Tuileries. Ses propos, qu'il reprend ensuite dès qu'une occasion se présente, sont très vite connus à Paris, et les conséquences sont immédiates : on le maintient sur la liste des émigrés et il est hors de question qu'il revienne dans la capitale.

Mais, dans ces conditions, où donc aller ? Très vite, un point de chute s'impose : la résidence de Mme de Tessé qui, depuis un an, occupe un vaste domaine campagnard à Wittmold dans le Schleswig-Holstein. Nos voyageurs prennent donc la route de Wittmold où ils parviennent le 10 octobre 1797. Dès le lendemain, Lafayette écrit à un ami une très longue lettre dans laquelle il explique, entre autres choses, les différences qui existent entre les idées qui lui sont chères et la situation où se trouve alors la France :

> Je n'ai pas besoin de vous dire ce que pense du 18 fructidor l'homme qui a fait la déclaration des droits [...]. J'ai la passion de la liberté au plus haut degré qu'elle entrât jamais dans le cœur de l'homme [...] j'y joins la douleur inexprimable des maux qu'ont faits en France les violateurs de la doctrine que j'avais contribué à établir ; j'ai la haine de l'anarchie, de l'intrigue, l'amour de la justice, ce qui forme un composé qui ne

ressemble point au modérantisme des tièdes, puisque au contraire je ne suis modéré sur aucun de ces objets[51].

On comprend que de tels propos n'aient pas suscité l'enthousiasme de Bonaparte et de son entourage !

La vie familiale des Lafayette reprit son cours à Wittmold où le marquis se trouvait en communion d'idées avec sa tante, Mme de Tessé, dont les penchants libéraux étaient fort proches des siens. Il brûlait malgré tout d'être à nouveau en situation de pouvoir agir. Avant même qu'il soit libéré, Mme de Staël lui avait adressé un mot d'encouragement qui allait dans ce sens : « Venez directement en France ! Il n'y a pas d'autre patrie pour vous. Vous y trouverez la république que votre opinion appelait lorsque votre conscience vous liait à la royauté, vous la trouverez illustrée par la victoire et délivrée des crimes qui ont souillé son origine[52]. » Mais, depuis lors, la situation française avait connu, avec les événements du 18 fructidor, de nouveaux et graves bouleversements. Il était donc, pour l'heure, préférable que le marquis se replie sur la vie familiale. Contrairement à ce que pensait Pauline, la nièce de Mme de Tessé, il n'était pas question, vu le contexte, que Lafayette, tout bon navigateur qu'il fût, « trouve l'occasion de se rembarquer sur les quatre planches un peu rajustées du radeau de 1791[53] ».

Pour occuper son temps, il entreprit de rédiger un ouvrage historique consacré à la Révolution, ouvrage où il se placerait « au-dessus de tous les partis[54] ». Il se mit donc à lire tous les livres parus pendant les dernières années du Directoire et les premières du Consulat — ceux de Sieyès, de Necker, de Bouillé ou encore les discours de Mirabeau ; mais il change bientôt de perspective et se lance dans la rédaction de ses *Mémoires*. En février 1798, il reçoit plusieurs visites fort agréables, dont celles de Mme de Simiane et de son ami Mathieu Dumas, avec qui il converse librement : « Nous nous consolions par la conscience de la pureté de nos intentions, nous formions les mêmes vœux, nous nous soutenions par les mêmes espérances[55]. » En ce même mois de février, un autre événement vient le distraire et le comble de joie : le retour des États-Unis de son fils George, lequel est porteur d'une lettre fort chaleureuse de l'ex-président Washington, qui a quitté le pouvoir fin 1796 et s'est retiré à Mount Vernon.

Les Lafayette prirent néanmoins conscience qu'ils ne pouvaient abuser trop longtemps de l'hospitalité de Mme de Tessé. Ils se mirent donc en quête d'une nouvelle demeure, mais leur démarche fut retardée par le mariage d'Anastasie avec Charles de Latour-Maubourg, frère de César, son vieil ami et inoubliable compagnon d'Olmütz, mariage qui fut célébré sur place le 9 mai de cette année 1798. Peu après les noces, les jeunes mariés partirent pour la Hollande où ils élirent domicile dans la petite ville de Vianem. Visitant alors plusieurs résidences possibles, le choix des Lafayette, facilité par d'importants subsides fournis par les autorités américaines, se porte sur le château de Lemkülen dans le

Holstein où ils s'installent le 3 décembre. Ce château n'étant qu'à une heure et demie de Wittmold, cela permettait aux Lafayette de rester en contact avec Mme de Tessé à qui ils devaient tant. Un malheur vint cependant ternir cette série d'événements positifs, à savoir l'accouchement d'Anastasie en février 1799 (retardé par une inondation, Lafayette n'arriva à Vianem que huit jours plus tard). À la grande joie de la famille, celle-ci donna naissance à deux filles, mais l'aînée, victime de toutes sortes de malaises, mourut quelques jours après sa venue au monde.

Autre bémol : la santé d'Adrienne elle-même. Dans une lettre à la princesse d'Hénin, en date du 14 octobre 1798, le marquis dépeint ainsi l'état de sa femme : « Elle ne peut pas marcher ; elle n'est pas, un seul instant, exempte de douleurs aux dents, à l'estomac, à la plaie de sa jambe ; ses bras ne sont pas rétablis. Tous les médecins sont d'accord sur les causes de sa maladie, parmi lesquelles ils comptent l'eau détestable que nous avons bue pendant longtemps. Tous pensent que les traces de la captivité d'Olmütz resteront, que son état actuel exige de grands ménagements pour ne pas devenir dangereux d'un moment à l'autre[56]. » On imagine le surcroît de fatigue qu'elle avait endurée lors des préparatifs du mariage d'Anastasie.

Adrienne, dont l'état de santé s'améliorait cependant peu à peu, décida en juillet 1798, avant donc de s'installer au château de Lemkülen, de se rendre à Paris, accompagnée de Virginie. N'ayant ni l'une ni l'autre le statut d'émigrées, elles étaient, semble-t-il, en droit de séjourner en France. Le voyage d'Adrienne avait deux objectifs : en premier lieu, récupérer l'ensemble des propriétés Noailles qui avaient été confisquées et, d'autre part, essayer d'obtenir pour son mari l'autorisation de revenir dans son pays, ce qui lui fut très clairement refusé. Unique consolation : elle reçut pour elle-même « toute facilité pour circuler librement entre la France et le lieu de résidence de son mari[57] ». Neuf ou dix mois plus tard, en mai 1799, elle revint à Paris avec le même objectif en tête : obtenir le retour en France de son époux toujours exilé. À cette fin, elle rencontre et sollicite Sieyès, membre éminent du Directoire, mais, toute courtoise qu'elle est, la réponse qu'il lui fait est loin d'être encourageante : « Je crois qu'il serait très dangereux pour lui de rentrer en France. » Deux mois plus tôt (le 15 mars), la France avait, certes, déclaré la guerre à l'Empereur, mais Sieyès ne croyait pas que la Hollande pût être envahie. Il se contenta donc de conseiller à Lafayette, s'il y était, d'y rester ou d'aller en Prusse : « Qu'il y fasse ce qu'il fait jusqu'à présent, qu'il attende[58]. » En réalité, Sieyès, qui méditait le renversement d'un régime à bout de souffle, ne souhaitait visiblement pas voir réapparaître un personnage qui n'aurait sans doute pas facilité ses projets et en qui il n'avait plus aucune confiance.

Se sachant haï des royalistes et soupçonné de monarchisme par les républicains, Lafayette voyait mal comment se réinsérer dans la vie politique française. Au regard des libertés fondamentales qu'il chérissait, la situation du pays s'aggrava encore avec le nouveau coup d'État du 30 prairial an VII (18 juin 1799), lequel se traduisit par l'éviction brutale de trois des cinq membres du Directoire suite aux intrigues des deux autres, à savoir Sieyès et Barras, le tout se déroulant dans l'indifférence générale. Se refusant à pactiser avec le parti du duc d'Orléans (ancien duc de Chartres et futur Philippe-Égalité) et n'ayant « rien à faire avec les gens de Mittaw[59] » (ville de Lettonie servant de lieu d'exil au futur Louis XVIII), le marquis était visiblement voué à la solitude, et la situation, s'agissant de lui, semblait pour l'heure sans issue.

À quoi s'ajoute que la diplomatie n'était pas son fort. À preuve la lettre qu'il adressa à Adélaïde de Simiane dans les premières semaines de 1798 : « Quoique j'aime mieux la république que la monarchie, j'aime mieux la liberté que la république, et je suis fort loin de croire que la liberté existe actuellement en France[60]. » On peut comprendre que le Premier consul ait cru bon de tenir Lafayette à l'écart deux ans de plus. Reste qu'à la suite d'une ultime entrevue avec Adrienne, Bonaparte finit par céder à ses supplications et accepta le retour en France (mais pas à Paris) de l'indomptable marquis, retour qui eut lieu dans les derniers jours de 1799. Au même moment, le 14 décembre, son ami et père spirituel George Washington rendait l'âme dans sa résidence de Mount Vernon, événement qui attrista, à l'évidence, le rapatriement de son protégé vers la France.

Arrivant à Paris, Lafayette écrit à Bonaparte : « Citoyen Consul, depuis l'époque où les prisonniers d'Olmütz vous durent leur liberté, jusqu'à celle où la liberté de ma patrie va m'imposer de plus grandes obligations envers vous, j'ai pensé que la continuation de ma proscription ne convenait ni au gouvernement, ni à moi-même. Aujourd'hui j'arrive à Paris... » À Talleyrand qui lui conseille vivement de retourner en Hollande, il répond qu'il appartient à Bonaparte (lequel est furieux), et à lui seul, de le laisser « tranquille » là où il entend vivre et qu'il « serait très plaisant [qu'il fût] arrêté le soir par la Garde nationale de Paris [dont il était le fondateur] et mis au Temple, le lendemain, par le restaurateur des principes de 1789 [dont il avait été l'un des inspirateurs] ». En répondant finalement positivement aux demandes d'Adrienne, Bonaparte n'oublia pas d'ajouter : « Je le conjure d'éviter tout éclat ; je m'en rapporte à son patriotisme[61]. »

La partie est donc largement gagnée et le nouveau Cincinnatus peut se retirer dans le château d'Adrienne à La Grange-Bléneau (Seine-et-Marne) pour y mener, comme l'avait fait Washington, une vie simple et paisible d'agriculteur : « Il diversifie les cultures céréalières ; il fait du seigle, de l'orge, du blé, du maïs. Il apporte surtout ses soins à l'élevage, lance le mérinos et parvient à former un troupeau de sept cents têtes[62]. » À La Grange il eût sans doute préféré Chavaniac, mais il redoutait qu'un accueil trop bruyant et trop enthousiaste ne déplaise au gouvernement. Il ne se désintéresse pas pour autant de la politique et n'a qu'une idée en tête : la chute du régime ; mais il restera dans ses terres durant quinze ans. Alors qu'il était encore dans la capitale, il avait déclaré à Bonaparte : « Toutes les fois qu'on viendra me demander si votre régime est conforme à mes idées de liberté, je répondrai que non, car enfin, général, je veux bien être prudent, mais je ne peux être renégat[63]. » Bonaparte lui propose la Légion d'honneur ; il la refuse. La rupture était dès lors consommée.

Le Premier consul rêve, quant à lui, de récupérer le territoire de la Louisiane cédé à l'Espagne dans le cadre du traité de Versailles de 1763. Ce territoire n'était pas la Louisiane d'aujourd'hui : du sud au nord, elle s'étendait, de La Nouvelle-Orléans jusqu'aux frontières du Canada et, d'est en ouest, des Alleghanies jusqu'aux Rocheuses, en tout 17 millions de kilomètres carrés, plus de quatre fois l'étendue de notre actuelle Union européenne. En avril 1803, soucieux de pouvoir financer ses guerres européennes et de « donner à l'Angleterre une rivale maritime qui tôt ou tard abaissera son orgueil », Bonaparte vend cette immense Louisiane au président Jefferson (élu le 17 février) pour une bouchée de pain : 50 millions de francs. Les États-Unis viennent, à peu de frais, de doubler leur superficie et le président américain s'empresse de proposer le poste de gouverneur de cette immense Louisiane à… Lafayette qui, bien que flatté, refuse. Le marquis n'avait-il pas dit du général Bonaparte qu'il « avait vendu la Louisiane pour une poignée de dollars » et qu'il a avait mené cette affaire « comme un caporal »[64] ? Peu auparavant, il avait également refusé la proposition que Bonaparte, sans doute soucieux de l'éloigner, lui avait faite de devenir représentant de la France aux États-Unis : l'argument du marquis était qu'étant lui-même devenu « américain » (citoyenneté accordée pour services rendus), il ne pouvait être diplomate auprès des autorités de son propre pays. À quoi était venu s'ajouter un sérieux problème de santé : au cours de l'hiver 1803, le marquis avait, en effet, été victime d'une mauvaise chute sur le verglas. On pensa alors l'amputer d'une jambe, mais il préféra subir pendant plusieurs semaines un traitement extrêmement douloureux qui se solda par une raideur permanente du membre blessé et l'obligea par la suite, et ce jusqu'à la fin de sa vie, à se munir d'une canne chaque fois qu'il sortait de chez lui.

Lorsque son fils, George-Washington Lafayette, regagne la France après la mort du président américain, il rejoint son père à Vianen en Hollande. À peine rentré en France, il demande à être intégré dans l'armée française et à se battre pour elle là où on voudra bien l'envoyer. Impressionné, Bonaparte lui octroie le grade de lieutenant. Le jeune homme se bat avec bravoure à Ulm en 1805. La proposition de ses supérieurs de le promouvoir au grade de capitaine se heurte, étrangement, au refus de l'Empereur. Bien qu'outré par cette injustice, George-Washington n'en continue pas moins à assurer son commandement avec une ardeur peu commune. Au cours de la bataille d'Eylau contre les troupes russes et prussiennes (7 et 8 février 1807), bataille qui fait 40 000 morts, il sauve la vie de celui dont il était l'aide de camp, le général Grouchy — celui-là même dont le retard, au soir de Waterloo, allait, le 18 juin 1815, avoir des conséquences fatales pour l'Empire. Cet exploit aurait dû cette fois, et sans conteste, lui valoir enfin les galons de capitaine. Il n'en fut rien. Pas plus d'ailleurs qu'après la bataille de Friedland qui se déroula en juin de la même année, précédant la paix de Tilsit, bataille où le jeune lieutenant se fit à nouveau remarquer par son valeureux comportement sans pour autant recevoir une récompense une fois de plus amplement méritée. La raison de ces refus, explique Gonzague Saint Bris, tenait au fait que « le nom de Lafayette, peut-être parce qu'il sonnait comme un remords, était devenu insupportable au tyran[65] ».

Installés à La Grange, les Lafayette vivent un bonheur certain. Leur cadette Virginie a épousé en 1803 le marquis Louis de Lasteyrie. Leurs petits-enfants grandissent dans une atmosphère chaleureuse. La ferme commence à rapporter et permet de rembourser un certain nombre de dettes (sa retraite de lieutenant-général de l'armée française ne lui permet pas de couvrir toutes ses dépenses). Au plan personnel, ces six années, de 1801 à 1807, sont parfaites jusqu'au jour où Adrienne tombe malade et murmure : « Si seulement le Seigneur pouvait nous accorder encore six petites années de bonheur à La Grange[66] ! »

Il ne le fera pas. Dès septembre 1807, elle est prise d'une forte fièvre, accompagnée de fréquents vomissements. Son mari, en séjour à Chavaniac, rentre précipitamment à La Grange. Le médecin de famille, le docteur Lobinhes, constate la gravité de la situation, évoque une « fièvre maligne », mais, au-delà de ce type de formule, il se trouve dans l'incapacité de définir avec exactitude ce dont souffre Adrienne, sans doute un ulcère du pylore. On peut penser que le mal qui la mine est lié aux privations et au manque de soins qu'elle a endurés pendant deux ans à la prison d'Olmütz. On la transporte à Paris chez Mme de Tessé où Corvisart, médecin personnel de Napoléon, vient se pencher sur son cas ; mais la consultation ne donne rien et Adrienne s'éteint le 24 décembre, la veille même de Noël. On l'inhume, selon ses propres vœux, au cimetière de Picpus, où elle retrouva les nombreux membres de sa famille victimes de la Terreur.

Quelques jours après la mort d'Adrienne — celle qui lui disait « Vous n'êtes ni royaliste, ni républicain ; vous êtes fayettiste[67] » —, Lafayette écrivit une lettre bouleversante à son vieil ami et inoubliable compagnon d'Olmütz, César de Latour-Maubourg, lettre dans laquelle (une fois n'est pas coutume) il met non pas lui-même, mais sa femme au centre de tout :

> Pendant les trente-quatre années d'une union où sa tendresse, sa bonté, l'élévation, la délicatesse, la générosité de son âme charmaient, embellissaient, honoraient ma vie, je me sentais si habitué à tout ce qu'elle était pour moi que je ne le distinguais pas de ma propre existence. Elle avait quatorze ans et moi seize, lorsque son cœur s'amalgama à tout ce qui pouvait m'intéresser. Je croyais bien l'aimer, avoir besoin d'elle, mais ce n'est qu'en la perdant que j'ai pu démêler ce qui reste de moi pour la suite d'une vie qui m'avait paru livrée

à tant de distractions et pour laquelle, néanmoins, il n'y a plus ni bonheur, ni bien-être possible[68].

Il se retrouve soudain seul dans une vaste demeure. Atteint à l'âge de cinquante ans dans les profondeurs de son être, il semble avoir perdu toute joie de vivre. Mais un homme de sa trempe ne peut s'abîmer durablement dans la mélancolie. Il mène, certes, une existence plutôt active de fermier et ne quitte pratiquement jamais ses terres, sans compter qu'il dispose de temps pour travailler à ses *Mémoires*, mais il entend malgré tout se ménager une ouverture sur le monde et sur l'évolution de son pays. Il se lie du reste d'amitié avec Joseph Bonaparte, frère aîné de l'Empereur (qui sera fait roi de Naples en 1806 et roi d'Espagne deux ans plus tard) et cette amitié lui vaut quelques faveurs : il est rayé de la liste des émigrés et reçoit une pension de retraite de 6 000 francs, qui vient fort opportunément soulager ses finances qui sont loin d'être florissantes. Attaché à sa liberté, il a, souligne Karine Rance, le cran de « refus[er] tout poste sous le régime napoléonien alors que rares furent ceux, libéraux ou nobles émigrés, qui résistèrent aux sirènes impériales[69] ».

Le 14 avril 1814, Napoléon, vaincu par l'Autriche, la Russie et la Prusse, abdique et signe le traité de Fontainebleau, renonçant de ce fait à toute souveraineté sur quelque pays que ce soit. Il s'exile à l'île d'Elbe, assuré de recevoir une rente de 2 millions de francs (qui ne lui seront jamais versés). Lafayette, qui avait refusé le principe de l'Empire et celui du Consulat à vie*, réapparaît à la suite de cette terrible année 1814. Le 10 mai 1815, peu après le retour surprise de Napoléon (le 1er mars) et le début des Cent Jours, il est élu député de Seine-et-Marne et le restera jusqu'à Waterloo (le 18 juin 1815). Comme en juillet 1789, il se retrouve presque aussitôt vice-président de la Chambre, c'est à ce titre qu'il fait voter une résolution hostile à Napoléon. Cette seconde abdication est effective le 7 juillet 1815.

Lafayette prend alors, et très rapidement, ses distances avec Louis XVIII, qui (à l'exception des Cent Jours durant lesquels il se réfugiera à Gand) régnera de 1814 à 1824. Mais, sur son bicorne, le nouveau roi porte à nouveau la cocarde blanche et non la tricolore, comme si rien ne s'était passé depuis 1789. À quoi s'ajoute l'hostilité ouverte que manifestent à l'égard du marquis les aristocrates de la nouvelle Cour. Refusant le projet de constitution proposé par le Sénat, Louis XVIII octroie une « charte constitutionnelle » (en date du 4 juin 1814) dans laquelle il est précisé que le roi n'accède point au trône par la volonté du peuple, mais est un monarque de droit divin : « L'autorité tout entière [réside] en France dans la personne du roi » ; ou encore (article 13) : « La personne du roi est inviolable et sacrée [...]. Au roi seul appartient la puissance exécutive. » Le titre même du document a, en apparence, des airs de compromis, le terme

* Le 10 mai 1802, un plébiscite est organisé sur l'institution du Consulat à vie. Le « oui » obtient 3 568 999 voix, le « non » 8314 voix seulement, dont celle de Lafayette.

de « charte » faisant référence à l'Ancien Régime et celui de « constitutionnelle » à une certaine volonté révolutionnaire ; mais la charte en question rétablissait de fait la dynastie des Bourbons. Elle ne fut mise en application qu'en juillet 1815, après l'intermède des Cent Jours.

En octobre 1818, trois départements invitent Lafayette à se présenter aux élections législatives : la Seine, la Seine-et-Marne et la Sarthe. Il choisit la Sarthe où il obtient 569 voix sur 1 055, soit 54 %. Il est alors de tous les combats pour la liberté. Il défend (en vain) l'abbé Grégoire — député de l'Isère, partisan de l'abolition totale des privilèges et de l'esclavage, adepte du suffrage universel — dont la majorité réactionnaire parvient à invalider le mandat ; il réclame l'application intégrale de la charte de 1814 que le pouvoir vide peu à peu de son sens et de son contenu ; en attendant, comme l'abbé Grégoire, que le suffrage devienne universel, il s'oppose à certaines manipulations du suffrage censitaire particulièrement favorables aux contribuables les mieux nantis. Il est perçu par ses adversaires comme un irréductible provocateur.

Largement majoritaires à la Chambre, les ultras n'ont pour objectif que de détruire tout ce qui s'est fait de nouveau entre 1789 et 1814 et d'organiser la contre-révolution. Constatant leur impuissance à agir dans le cadre parlementaire, les membres de l'opposition libérale voient dans l'organisation de sociétés secrètes le seul moyen de faire évoluer les choses dans le sens qui leur convient. La plus importante de ces sociétés est la Charbonnerie, à laquelle les francs-maçons, normalement tenus de respecter les pouvoirs établis et de ne pas se mêler de politique, peuvent néanmoins être affiliés à titre purement personnel, ce qui va être le cas de Lafayette. C'est dans ce cadre qu'il va, en décembre 1821, participer à ce qu'on a appelé le « complot de Belfort ». Parmi les hauts responsables du complot, c'est Lafayette — entouré de quelques députés dont Jacques Koechlin et Voyer d'Argenson, ainsi que de certains artistes connus comme Horace Vernet — qui semble avoir occupé la fonction principale. Le but de l'opération était la prise de Vincennes et des Tuileries, puis l'installation provisoire en Alsace d'un comité gouvernemental animé par les trois mêmes : Lafayette, d'Argenson et Koechlin. Le déclenchement de l'opération était fixé au 24 décembre 1821. Or le 24 décembre était la date anniversaire de la mort d'Adrienne, journée familiale consacrée depuis 1807 à la prière et au recueillement ; aussi Lafayette dut-il retarder d'une journée son départ pour Belfort. Il prit donc la route le 25 au soir, accompagné de son fils et de son cocher. Mais les choses tournèrent mal : à Vincennes une explosion imprévue à la poudrière provoqua l'arrivée de renforts. Le dispositif insurrectionnel qui avait été prévu fut donc annulé. À Belfort même, le commandant de la place repéra des mouvements suspects, fit procéder à des arrestations préventives et, après avoir lui-même essuyé un coup de feu, ordonna de fermer les portes de la ville. Prévenu alors qu'il était déjà en route, Lafayette trouva refuge en Haute-Saône chez l'un de ses amis et détruisit tous les documents compromettants qu'il détenait dans ses bagages. La Charbonnerie entreprit simultanément d'autres actions en France, notamment à Saumur (le 22 février) sous l'autorité du général Berton. Mais ses hommes prirent peur et se dispersèrent. Plusieurs furent arrêtés. Berton alla se cacher à La Rochelle, mais, trahi, il fut arrêté, condamné à mort et exécuté. Au cours du procès qui s'ensuivit, l'avocat général lança notamment, mais sans aucune preuve tangible, les noms de Lafayette et de Benjamin Constant comme étant les vrais responsables de cette affaire. Aux condamnés à mort on promet la vie sauve s'ils révèlent les noms des hauts responsables de leur organisation. Aucun ne parle, si bien que le 21 septembre ils sont conduits en place de Grève et guillotinés.

Se produit alors un incident lié à la guerre d'Espagne qui va être à l'origine d'un tournant dans la vie de Lafayette.

La politique réactionnaire que le roi d'Espagne Ferdinand VII mène depuis 1814 a provoqué en 1820 un soulèvement militaire à l'intérieur du pays grâce auquel les insurgés avaient obtenu une constitution libérale limitant les pouvoirs du roi. Inquiets du succès des libéraux espagnols, les souverains européens, notamment celui de France, optent alors pour une intervention militaire en faveur du roi menacé — cette intervention ayant pour but de rétablir celui-ci dans tous ses pouvoirs de monarque absolu. Cent mille soldats français entrent donc en Espagne en avril 1823. Leur commandant en chef n'est autre que le duc d'Angoulême, neveu du roi Louis XVIII. L'armée des libéraux espagnols est rapidement mise hors d'état de combattre et de poursuivre sa révolte. Le 24 avril, les Français entrent dans Madrid qui les fête en pavoisant et en fleurissant les rues. Quant au roi, il retrouve *ipso facto* l'ensemble de ses pouvoirs.

Or il se trouve que, le 27 février 1823, Jacques Antoine Manuel, député libéral de Vendée, prononça devant l'Assemblée nationale un discours mémorable sur l'expédition d'Espagne envisagée par la France, discours au cours duquel certains crurent percevoir dans ce qu'il disait du sort probable de Ferdinand VII une justification de la déchéance de Louis XVI en 1792. Bien que se défendant d'avoir introduit un semblable parallèle, Manuel fut officiellement expulsé de la Chambre. Bravant sa déchéance, il revint le lendemain et lança au président : « J'ai annoncé hier que je ne céderais qu'à la violence, aujourd'hui je viens tenir ma parole[70]. » Il faut faire appel à la gendarmerie pour l'expulser de force. Lorsqu'il sort de l'Assemblée, Manuel est ovationné par la foule.

Soixante-quatre députés protestent aussitôt contre cette expulsion jugée injuste et arbitraire. Lafayette est l'un des signataires et il va jusqu'à proposer à ses collègues l'idée d'une « proclamation au peuple » expliquant que, suite à cette inadmissible violation de la charte, le paiement de l'impôt a désormais cessé d'être obligatoire — proposition jugée trop extrême et qui, de ce fait, est repoussée. Reste que la victoire des royalistes en

Espagne renforça dans beaucoup d'esprits français l'attachement au système monarchique, disposition dont profita le gouvernement français pour écarter de la Chambre la plupart des chefs de l'opposition. Alors qu'il avait été réélu à Meaux en 1822, Lafayette est battu lors du scrutin de mars 1824 qui donna nationalement une majorité écrasante aux ultras, l'Assemblée ne comptant plus désormais que 17 députés « de gauche » (comme on dirait aujourd'hui).

L'apothéose américaine

Condamné une nouvelle fois à l'oisiveté dans sa ferme de La Grange, Lafayette va pouvoir accomplir un vœu qui l'habitait depuis bien longtemps. Comme par miracle, il reçoit, peu après sa défaite électorale, une invitation de son ami James Monroe, hôte de la Maison Blanche depuis 1817. Le président ne l'invite pas seulement à venir lui rendre visite, mais aussi à faire la tournée de son pays, pour célébrer le cinquantième anniversaire de la naissance des États-Unis, avec l'idée de faire naître, ou renaître, l'« esprit de 1776 » dans le cœur de la nouvelle génération d'Américains. Du 16 août 1824 au 8 septembre 1825, autrement dit en treize mois, Lafayette va ainsi visiter 182 villes situées dans les 24 États de l'époque et est partout reçu en « hôte de la nation ».

C'est ainsi que, le 13 juillet 1824 à midi, accompagné de son fils et d'un secrétaire, Lafayette quitte Le Havre à bord d'un simple bâtiment de commerce américain, le *Cadmus*. Son départ a lieu en présence de la population havraise tout entière, au milieu des plus vives et chaleureuses acclamations.

Il arrive le 16 août à New York, où les deux tiers de la ville se sont rassemblés et lui réservent un accueil enthousiaste. En entrant dans le port, il croise une escadre de neuf vaisseaux à vapeur où s'agitent en sa faveur plus de 6 000 citoyens de tous âges et de toutes conditions. Le vice-président des États-Unis, Daniel Tompkins, et l'ancien gouverneur du New Jersey viennent le recevoir à bord même de son modeste navire. Après quoi, ils le conduisent, au milieu des salves d'artillerie et des clameurs populaires, jusqu'à l'Hôtel de Ville où tous les corps de l'État sont là pour le saluer et le complimenter. On ouvre alors les portes de l'édifice et le marquis doit faire face pendant plus de deux heures aux vivats d'une foule en délire. C'est finalement par de brillantes illuminations et un vaste banquet que s'achève cette première et triomphale journée.

Accompagné de son fils dont le prénom (George-Washington) suscite partout l'enthousiasme, Lafayette visite successivement l'ensemble des États composant alors le pays. Il fait le 20 août une première halte à New Rochelle, ville-refuge des Huguenots en 1677, puis gagne Boston, où il arrive le 24, et se rend à Bunker Hill, site du premier combat de la guerre d'Indépendance, avant de visiter à Cambridge l'université Harvard, le plus ancien établissement d'enseignement supérieur des États-Unis. Le 1er septembre il est à Portsmouth dans le New Hampshire, le 3 à Worcester dans le Massachusetts, le 4 à Hartford (Connecticut) et le 5 se retrouve à New York où, le lendemain, un grand banquet est organisé en son honneur par la Société des Cincinnati. Le 9 septembre, il visite aussi l'École libre des jeunes Africains fondée et gérée par la Société d'affranchissement des Noirs dont il est élu membre à l'unanimité. Le 11 septembre, au cours d'un concert donné en l'église Saint-Paul, on lui joue *La Marseillaise*. Le même jour, il célèbre, avec les résidents français de New York, le quarante-septième anniversaire de la bataille de Brandywine où lui-même avait été blessé à la jambe. Le 28 du même mois, il est reçu à Philadelphie où il prononce un discours devant la chambre législative de l'État. Il est ensuite escorté jusqu'à la ville de Wilmington par la loge maçonnique du Delaware (37 loges portent déjà son nom dans le pays). Il arrive le 12 octobre dans le district de Columbia qui abrite la ville de Washington, capitale fédérale depuis le début du siècle, et, cinq jours plus tard, se rend à Mount Vernon afin de se recueillir devant la tombe de son vieil ami George Washington, décédé depuis tout juste un quart de siècle. Il va jusqu'à descendre à l'intérieur du tombeau, d'abord seul, mais bientôt rejoint par son fils et son secrétaire. Après avoir baisé la tombe du défunt et de sa femme, il reste là deux heures plongé dans un profond recueillement. Dans la demeure, il a le plaisir d'apercevoir sur un mur la clef de la Bastille dont il avait fait don à son ami. Au moment du départ, Wash Curtis, fils adoptif de l'ancien président, lui offre en ultime hommage un anneau d'or contenant des cheveux de son père.

Le 19 octobre, il arrive à Williamsburg en Virginie et visite le College of William and Mary où il est fait docteur honoraire en droit. Toujours en Virginie, le voilà, une semaine plus tard, à Richmond où vient l'accueillir la jeune garde d'honneur, dont Edgar Poe lui-même fait partie. Le 4 novembre, il se rend à Monticello et vient saluer l'ancien président Thomas Jefferson. Le 8, il participe à Charlottesville à un banquet organisé à son attention par l'université de Virginie. Le 5 décembre, il séjourne de nouveau à Washington où il est reçu avec faste par James Monroe et reçoit lui-même des délégations indiennes venues le saluer. Le 6, il assiste à l'ouverture de la session du Congrès et écoute la célèbre déclaration du président Monroe sur la non-ingérence des puissances européennes dans les affaires du continent américain. Après avoir salué Lafayette, Monroe invite l'assemblée à voter en sa faveur « une dotation qui réponde dignement au caractère et à la grandeur du peuple américain. La dotation est aussitôt votée et elle est très généreuse : 200 000 dollars (soit environ 1 million de francs de l'époque) et une terre de 24 000 acres (9 600 hectares) à Tallahassee en Floride. Reçu officiellement au Capitole, Lafayette exprime ses remerciements dans une allocution où il déclare : « l'approbation du peuple américain et de ses représentants pour ma conduite dans les vicissitudes de la révolution européenne est la plus grande que je puisse recevoir[1] ».

Semaine après semaine, la tournée se poursuit, d'État en État, de ville en ville. Des bals ou des banquets sont partout organisés en son honneur. Le

4 mars 1825, il découvre Fayetteville en Caroline du Nord, puis Charleston, dans le même État, où il rencontre à nouveau son vieil ami Huger qui avait tenté de le faire évader de la prison d'Olmütz. Le 21 mars, il est à Savannah en Géorgie où il pose, place Johnson, la première pierre d'un monument à la mémoire de l'indépendantiste Nathaniel Greene. Début avril, il est à La Nouvelle-Orléans, dans cette Louisiane dont il aurait pu être le premier gouverneur. Il quitte cette ville le 15, sur le vapeur *Natchez*, à destination de Bâton-Rouge. Le 4 mai, il est à Nashville, capitale du Tennessee ; mais, le 8, le vapeur *Mechanic*, où se trouvent Lafayette et les siens et qui se dirige vers Louisville, vient à couler sur l'Ohio : tous parviennent à regagner la rive sains et saufs, mais le marquis perd dans l'affaire une partie des biens qu'il transportait avec lui, notamment ses passeports. Le 4 juin, il est à Buffalo dans l'État de New York où il prononce un discours à la taverne de l'Aigle sur la place du tribunal depuis peu rebaptisée « Lafayette Square ». Le 6 septembre, de nouveau à Washington, il est reçu par le président John Quincy Adams et est, en outre, honoré d'un dîner d'État à l'occasion de son soixante-huitième anniversaire. Peu après, il part pour Chester, là même où il avait été soigné après sa blessure lors de la bataille de Brandywine, et se rend à Frenchtown, où il est accueilli par une délégation comprenant deux Français, dont François-Auguste du Boismartin, âgé de quatre-vingt-trois ans, lequel avait, en 1777, joué un rôle décisif dans l'achat et le

départ de *La Victoire* et vivait désormais dans un état proche de la misère. Lafayette, ainsi que nous l'avons signalé, lui donna alors quelque argent, mais moins que ce que celui-ci avait sollicité.

Le 7 septembre, il fait ses adieux au président Adams et s'embarque le jour même sur le vapeur *Mount Vernon* afin de rejoindre plus en aval l'USS *Brandywine*, superbe frégate neuve de 60 canons mise gracieusement à sa disposition par le gouvernement américain et baptisée ainsi en souvenir de la bataille où le tout jeune général avait vécu son baptême du feu. Le ministre de France à Washington, le baron de Mareuil, n'apprécie guère les idées démocratiques et l'hostilité aux Bourbons affichées par le marquis ; il le rangeait volontiers parmi ces « hommes incorrigibles et en qui l'âge ne fait que fortifier les sentiments haineux et les doctrines subversives[2] ». Mais il fait malgré tout le nécessaire au sujet des passeports perdus lors du naufrage du *Mechanic*. C'est ainsi qu'après une traversée sans incident notoire, Lafayette peut débarquer au Havre le 1er octobre de cette année 1825. Dans ses bagages figurent un morceau de la maison de Christophe Colomb, une petite planche de l'*Alliance*, le bateau qui par deux fois l'a transporté aux États-Unis et, pour finir, une caisse contenant de la terre américaine destinée, lorsqu'il mourra, à être répandue sur sa tombe au cimetière de Picpus, ce qui sera fait.

Ainsi s'achève le long et magnifique séjour passé dans cette lointaine Amérique où, en tous lieux, la population et avec elle ses représentants l'ont reçu tel un empereur romain. Lafayette ignore alors que la suite de sa vie sera à bien des égards moins réjouissante et moins glorieuse

Suite et fin

Après Louis XVIII, c'est à Charles X, frère cadet de Louis XVI et de Louis XVIII, que Lafayette — âgé alors de soixante-sept ans — va s'opposer, surtout lorsque le nouveau roi, installé sur le trône en septembre 1824, foule aux pieds les prérogatives du Parlement, et décide de gouverner par ordonnances. La vraie nature de son règne ne tarde d'ailleurs pas à se révéler : le sacre de Reims, la loi d'indemnisation du « milliard aux émigrés » (texte d'avril 1825 visant à réparer les pertes subies par la noblesse expatriée) ou la loi sur le droit d'aînesse sont, aux yeux du marquis, autant de signes annonciateurs d'un retour à l'Ancien Régime.

Réélu en novembre 1827 en même temps qu'une assez large majorité libérale, Lafayette, suivi dans son initiative par 221 députés (contre 181), rédige le 18 mars 1830 une « Adresse de défiance » envers le souverain et son « cabinet » que dirige le prince de Polignac — fils de l'amie intime de Marie-Antoinette, la très impopulaire duchesse de Polignac. Le principal reproche évoqué dans cette adresse est ainsi libellé :

Sire, la charte que nous devons à votre auguste prédécesseur, et dont Votre Majesté a la ferme résolution de consolider le bienfait [...] fait du concours permanent des vues politiques de votre gouvernement avec les vœux de votre peuple la condition indispensable de la marche régulière des affaires publiques. Sire, notre loyauté, notre dévouement, nous condamnent à vous dire que ce concours n'existe pas. Une défiance injuste des sentiments et de la raison de la France est aujourd'hui la pensée fondamentale de l'administration ; votre peuple s'en afflige, parce qu'elle est injurieuse pour lui ; il s'en inquiète, parce qu'elle est menaçante pour ses libertés[1].

La décision de gouverner par ordonnances apparut à beaucoup comme un acte anticonstitutionnel, comme une tentative de retour au régime précédent, bref comme une sorte de coup d'État. Ce virage gouvernemental provoqua aussitôt la colère des élus et du peuple et déboucha, les 27, 28 et 29 juillet 1830, sur un vaste soulèvement : les « Trois Glorieuses » (également appelées la « révolution de Juillet »). Contraint d'abdiquer le 2 août suivant, Charles X s'exila à Prague (il mourra à Gorizia en Vénétie en 1836, victime du choléra).

Dès le 30 juillet, Louis-Philippe, duc d'Orléans, est nommé lieutenant général du royaume par les députés insurgés, poste qu'il accepte le 31. Lafayette quitte son domaine de La Grange et, à l'invitation d'une délégation d'élus, prend le commandement de la Garde nationale qu'on vient de reconstituer et s'installe à l'Hôtel de Ville, où il déclare : « J'ai accepté avec dévouement et avec joie les pouvoirs qui me sont confiés et, de même qu'en 1789, je me sens fort de l'approbation de mes honorables collègues [...]. La liberté triomphera ou nous péririons ensemble. » Et d'ajouter : « Ma conduite sera à soixante-treize ans ce qu'elle a été à trente-deux. » Le duc d'Orléans se rend à son tour à l'Hôtel de Ville où Lafayette lui explique à quel point, pour sa part, il admire la constitution des États-Unis. Au duc qui lui demande s'il conviendrait de l'adopter en France, il répond par la négative, précisant ainsi sa pensée : « Ce qu'il faut aujourd'hui, c'est un trône populaire entouré d'institutions républicaines. » Dehors la foule crie : « Vive la République ! À bas le duc d'Orléans ! » Jouant de sa popularité et habile à remuer les foules, Lafayette s'enveloppe alors, avec le duc à ses côtés, dans les plis d'un vaste drapeau tricolore. La foule, soudain retournée, pour ne pas dire chavirée, clame alors : « Vive Lafayette ! Vive le duc d'Orléans[2] ! »

Né à Paris le 6 octobre 1773, Louis-Philippe est le cousin de Louis XVI, Louis XVII, Charles X et fils aîné de Louis Philippe Joseph, duc de Bourgogne (dit Philippe Égalité) et d'Adélaïde de Bourbon-Penthièvre, elle-même descendante du comte de Toulouse (fils légitimé de Louis XIV et de la marquise de Montespan) : on peut difficilement avoir une si belle et noble ascendance !

Le 7 août 1830, suite à un vote favorable des Chambres, il devient Louis-Philippe Ier, mais refuse le titre de roi de France au profit de celui de roi des Français ; il prête par ailleurs serment à la Charte constitutionnelle de 1814, charte qui a été amendée afin de promouvoir l'utilisation du drapeau tricolore, l'allègement du système censitaire, l'abolition de la censure et la liberté de la presse.

Lafayette est, quant à lui, nommé commandant des Gardes nationales du royaume de France. Le 22 décembre, le nouveau roi lui écrit pour le remercier d'avoir donné, « dans ces jours d'épreuves, l'exemple du courage, du patriotisme et du respect pour les lois[3] » ; mais, en sous-main, il manœuvre à la Chambre des députés qui engage, dès le 24 décembre, un débat sur l'organisation de la Garde nationale. Or, durant ce débat, certains députés démontrent que la fonction de commandant en chef de toutes les unités du royaume est contraire à la Charte et font voter sa suppression à la condition de donner à Lafayette une compensation acceptable. Dès le lendemain, Lafayette démissionne et le roi nomme dans la foulée le général Mouton de Lobau commandant de la Garde nationale.

Le 6 juillet de l'année suivante (1831), il est réélu député de Seine-et-Marne. Mais, le 3 janvier 1834, la discussion de l'adresse au Trône (principalement consacrée à la politique étrangère) est le dernier débat parlementaire auquel il participe. Il déplore à cette occasion, et au nom des idées libérales qui sont les siennes, que le gouvernement ait laissé écraser la liberté en Pologne, en Italie et en Allemagne : « Je crois, lança-t-il, que toutes les opinions sont libres et [que] plus on en permet la manifestation, moins elles ont d'inconvénients. » Il se fait du coup l'apôtre de la liberté de réunion, car à l'époque on ne peut se rassembler à plus de vingt personnes sans avoir reçu une autorisation officielle. Et, après avoir défendu le principe de la liberté politique, il se fait, ultime audace, l'avocat d'une certaine démocratie sociale : « Lorsque vous aurez pourvu aux intérêts matériels, je crois que la tranquillité sera beaucoup plus assurée que par l'espionnage et surtout par des provocations[4]. »

Lafayette a pris froid le 1er janvier lors des obsèques d'un député tué en duel. À ce malaise vient s'ajouter une maladie de vessie contractée, selon certains, durant les obsèques de l'infortuné député. Le 1er mai, il rédige sa toute dernière lettre. Elle est adressée à John Murray, président-fondateur de la Société d'émancipation des Noirs de Glasgow. Il s'y félicite des mesures prises en juillet 1833 par les autorités britanniques en faveur de l'émancipation des personnes de couleur, tout en déplorant la lenteur avec laquelle la France avance dans ce domaine si important à ses yeux. Se sentant un peu mieux, il sort de chez lui le 9 mai, mais prend froid à nouveau. Le 20 mai 1834, à quatre heures du matin, il rend l'âme dans sa maison de la rue d'Anjou à Paris. Il est dans sa soixante-dix-septième année et tient dans ses mains un médaillon où figure un portrait d'Adrienne de Noailles.

Peu de personnages historiques ont été aussi diversement décrits, loués ou décriés que Lafayette. Comme nous l'avons signalé au début de cet ouvrage, ce n'était, pour Napoléon, qu'« un niais sans talents civils ni militaires, un esprit borné, un caractère dissimulé* » ; et Chateaubriand ne voyait en lui qu'« une espèce de *monomane*, à qui l'aveuglement tenait lieu de génie[5] ». Mirabeau lui-même l'avait, par raillerie, surnommé « Gilles César[6] » ! Je préfère, quant à moi, ce qu'écrivit à son sujet Joseph Delteil : « Je plains quiconque n'aurait pas cinquante pour cent de fayettisme dans son cœur[7]. »

Les funérailles de Lafayette eurent lieu le 22 mai 1834, en présence de Louis-Philippe, et furent célébrées en l'église parisienne de l'Assomption. Le cercueil du plus célèbre marquis de France, recouvert par son fils de la terre ramenée tout exprès d'Amérique, fut inhumé au cimetière de Picpus aux côtés de celui de son épouse. Installé dans les jardins de l'ancien couvent des chanoinesses de Saint-Augustin, ce cimetière était alors un lieu déjà chargé d'histoire : les 1 300 personnes (ou plus) guillotinées en 1794 durant l'époque de la Terreur — dont les sœurs et la mère d'Adrienne — y avaient, en effet, été ensevelies dans deux fosses communes. La tombe de Lafayette jouxtait les deux fosses en question, désormais connues sous le nom de « carré des suppliciés ».

En France, les autorités refusent tout hommage officiel au héros des deux mondes. Il en va tout autrement aux États-Unis où le Sénat et la Chambre

* Chambre des représentants, séance du 21 juin 1815, Archives parlementaires, Recueil complet des débats législatifs et politiques des Chambres françaises de 1800 à 1860, faisant suite à la réimpression de l'ancien « moniteur » et comprenant un grand nombre de documents inédits, 2e série, 1800-1860, SER2, T14 (3 décembre 1814 au 9 juillet 1815) ; Bibliothèque nationale de France.

des représentants décrètent, le 24 juin suivant, un deuil national de trente jours. À quoi il convient d'ajouter que le 31 décembre de cette année-là, comme le rappelle Étienne Taillemite, le président John Quincy Adams ira plus loin encore, « prononçant, en présence de tous les corps constitués, l'éloge funèbre du dernier major général de l'armée de l'Indépendance, éloge aussitôt imprimé et diffusé à 60 000 exemplaires[8] ».

Mais qu'était donc ce « fayettisme » évoqué par Joseph Delteil ? Il repose essentiellement, explique fort justement Étienne Taillemite, « sur deux axiomes fondamentaux : le zèle constant pour la liberté, pour toutes les libertés sans exception, et le souci permanent de l'ordre légal[9] ». On peut voir là une contradiction, mais ce type de contradiction est précisément ce qui assure aujourd'hui l'équilibre de nos démocraties. De ce point de vue, et au-delà de toutes les imperfections du personnage, on peut donc estimer qu'il y avait quelque chose de prophétique et dans la pensée et dans les attitudes de Lafayette. C'est au nom de la liberté qu'il condamna la Constitution civile du clergé, soutint la cause des protestants et, ennemi du fanatisme et des persécutions, s'obstina toujours, comme il disait, « à [se] déclarer le défenseur du culte opprimé[10] ».

Respectueux de l'ordre légal, Lafayette refusera obstinément de sortir, et que quiconque sorte, de l'État de droit. Ainsi s'explique qu'en juin 1780 il ait pu dire : « J'ai tout essayé, excepté la guerre civile que j'aurais pu faire mais dont j'ai craint les horreurs[11]. » Adversaire résolu de la peine de mort en raison de « l'incertitude des jugements humains », il regretta que Louis XVI ait été « assassiné par la plus monstrueuse procédure. Tout ce qui devait le protéger comme roi et comme citoyen [...] tout fut foulé aux pieds ». Il reconnaissait néanmoins qu'il peut exister certaines lois « auxquelles on ne doit pas obéissance si elles violent les droits naturels et sociaux ». Les hésitations et contradictions qu'on a pu lui reprocher cachaient souvent, semble-t-il, un sens évident et louable de la mesure — attitude qui, surtout dans les périodes révolutionnaires ou les situations politiquement agitées, n'est pas facile à assumer et à faire partager.

Ce croisé de la liberté poursuivit inlassablement son combat : « Aucun obstacle, disait-il, aucun mécompte, aucun chagrin ne me détourne ou me ralentit dans le but unique de ma vie : le bien-être de tous et la liberté partout[12]. » Lorsque le général Pershing et le colonel Stanton débarquèrent en France en 1917 et lancèrent au cimetière Picpus le fameux « Lafayette, nous voilà ! », c'est le héros des deux mondes et son fayettisme qu'ils auront en tête, et non Louis XVI ou Vergennes ou Rochambeau ou de Grasse ou qui que ce soit d'autre.

Cette admiration de Lafayette trouva aussi à s'exprimer du vivant du marquis, y compris en sa présence. C'est ainsi que le 18 janvier 1831, lors d'une séance de l'Assemblée constituante, Odilon Barrot, député de l'Eure et futur président du

Conseil, se tourne vers le marquis et lui tient textuellement ce langage :

> Vous avez bien pu abdiquer le commandement militaire qui vous mettait à la tête de toutes les classes éclairées de la nation ; mais votre influence, mais cette magistrature morale que, grâce à cinquante ans d'une vie sans reproche, vous exercez sur tous les esprits, vous ne pourrez jamais l'abdiquer ; et vous serez toujours le drapeau autour duquel viendront se rallier tous les amis de la civilisation et de la liberté des peuples[13].

Difficile de formuler plus bel éloge, à part peut-être le parallèle qui, sous la plume d'Armand Carrel, paraît dans le journal *Le National* la veille même des funérailles du marquis : « La Fayette et Napoléon, les deux plus grandes renommées françaises de ce siècle[14]. »

Éloges qu'on pourrait sans doute nuancer, mais qui nous serviront ici de point final.

ANNEXES

REPÈRES CHRONOLOGIQUES

1757. *6 septembre* : naissance de Gilbert du Motier au château de Chavaniac-Lafayette (Haute-Loire).

1759. Mort de son père à la bataille de Minden (Allemagne) pendant la guerre de Sept Ans.

1768. Études au collège du Plessis à Paris.

1770. Mort de sa mère.

1774. Épouse Adrienne de Noailles, fille du duc d'Ayen.

1775. En garnison à Metz. Initié à la franc-maçonnerie à Paris.

1777. Premier voyage en Amérique.
13 juin : Lafayette débarque près de Charleston (Caroline du Sud).
31 juillet : les Insurgés nomment Lafayette *major general.*
11 septembre : il est blessé à la bataille de Brandywine.

1778. *28 juin* : les Français de Lafayette et les Américains de Washington défont les Anglais de Henry Clinton près de Monmouth.

1781. *10 octobre* : le général anglais Cornwallis, retranché dans la place forte de Yorktown sur la côte de Virginie, se rend aux *insurgents* américains et aux troupes françaises.

1783. Lafayette assiste, à Paris, à la signature du traité consacrant l'indépendance des États-Unis.

1784. *14 mai* : sur l'insistance de Lafayette, le ministre des Finances Calonne décrète que les ports de Bayonne, Marseille, Dunkerque et Lorient sont des ports francs pour le commerce franco-américain.

1789. *15 juillet* : le comité rédactionnel de la Constitution reçoit le projet de « Déclaration des droits de l'homme » rédigé (avec l'aide de Jefferson) par Lafayette, Mounier, Lally-Tollendal, Servan, Sieyès et Clermont-Tonnerre. Lafayette élu général en chef de la Garde nationale.

1790. *14 juillet* : triomphe de Lafayette lors de la fête de la Fédération au Champ-de-Mars.

1791. Il est nommé par Louis XVI à la tête de l'armée de l'Est à Metz.

1792. Il est fait prisonnier par les troupes autrichiennes et restera incarcéré jusqu'en 1797.

1797-1799. Exil en Allemagne, puis en Hollande.

1799. Retour en France, mais interdit de séjour à Paris.

1807. Mort d'Adrienne.

1815. Après Waterloo, Lafayette réclame et obtient l'abdication de Napoléon.

1818. Il est élu député de la Sarthe.

1824. Il est battu aux élections à Meaux.

1824-1825. Voyage triomphal aux États-Unis.

1827. Lafayette est élu député de Meaux.

1830. Il participe aux « Trois Glorieuses » et aide Louis-Philipe à accéder au trône.

1834. *20 mai* : décès de Lafayette.
22 mai : obsèques au cimetière de Picpus.

RÉFÉRENCES BIBLIOGRAPHIQUES

OUVRAGES EN FRANÇAIS

René Belin, *La Fayette : la passion de la liberté*, Timée-Éditions, Paris, 2012.

Olivier Bernier, *La Fayette,* héros des deux mondes, Payot, Paris, 1988.

Daniel Binaud, *L'Épopée américaine de La Fayette*, La Découvrance, La Rochelle, 2007.

Philippe Bourdin (éd.), *La Fayette entre deux mondes*, Presses universitaires Blaise-Pascal, Clermont-Ferrand, 2009.

Achille, duc de Broglie, *Souvenirs du feu duc de Broglie*, Paris, 1886.

Duc de Castries, préface de Jean-Pierre Bois, *La Fayette*, Tallandier, Paris, 2006.

René de Chambrun, *Les Prisons de La Fayette, Dix ans de courage et d'amour*, Perrin, Paris, 1977.

Paul Chanson, *La Fayette et Napoléon*, Les Éditions de Lyon, Lyon, 1957.

Étienne Charavay, *Le Général La Fayette, 1757-1834*, Société de l'histoire de la Révolution française, Paris, 1898.

Jacques Debu-Bridel, *La Fayette*, Éditions Del Duca, Paris, 1957.

Jean-Yves Delitte, *L'*Hermione *: la conspiration pour la liberté*, Glénat, Paris, 2009.

John Delteil, *La Fayette,* Grasset, Paris, 1928.

Henri Doniol, *La famille, l'enfance & la première jeunesse du marquis de La Fayette*, Orléans, 1876.

George-Washington Lafayette (éd.), *Mémoires, correspondance et*

manuscrits du général Lafayette, publiés par sa famille, 6 vol., Fournier, Paris, 1837.
Maurice de La Fuye et Émile Babeau, *La Fayette, soldat de deux patries*, Amiot-Dumont, Paris, 1953.
Théodore de Lameth, *Mémoires*, Fontemoing, Paris, 1913.
Marquise de Lasteyrie, *Vie de madame de La Fayette*, Léon Techener Fils, libraire, Paris, 1868.
Francis Latreille, Yves Gaubert et Gilbert Maurel, préface de Benedict Donnelly, *L'*Hermione *: une frégate pour la liberté*, Gallimard, Paris, 2013.
Andréas Latzko, *Le Général Lafayette*, Grasset, Paris, 1935.
André Lebey, *La Fayette ou le militant franc-maçon*, Éditions de la Librairie Mercure, Paris, 1937.
Paul Lesourd et Marion Vandal, *La Fayette, le sortilège de l'Amérique*, Éditions France-Empire, Paris, 1976.
André Maurois, *Adrienne ou la vie de Madame de La Fayette*, Hachette Littérature, Paris, 1960.
Philippe Olivier, *Bibliographie des travaux relatifs à Gilbert du Motier, marquis de La Fayette, et à Adrienne de Noailles*, Institut d'études du Massif Central, Clermont-Ferrand, 1979.
Patrick Poivre d'Arvor, *J'ai aimé une reine*, Fayard, Paris, 2003.
François Ribadeau-Dumas, *La Destinée secrète de Lafayette ou Le messianiste révolutionnaire*, Robert Laffont, Paris, 1972.
Gonzague Saint Bris, *La Fayette*, Gallimard, Paris, collection « Folio », 2006.
Étienne Taillemite, *La Fayette*, Fayard, Paris, 1989.
Bernard Vincent, *Thomas Paine ou La religion de la liberté*, Aubier, Paris, 1987.
Bernard Vincent (éd.), « Lafayette et la guerre d'Indépendance : neuf lettres inédites », revue *Sources*, Orléans, 2004.

OUVRAGES EN ANGLAIS

Louis Gottschalk, « Lafayette Comes to America », *Lafayette in America*, L. I., Chicago, 1935.
—, *Lafayette Joins the American Army*, The University of Chicago Press, Chicago, 1937.

—, *Lafayette and the Close of the American Revolution,* The University of Chicago Press, Chicago, 1942.
—, *Lafayette Between the American and the French Revolution*, The University of Chicago Press, Chicago, 1969.
Marguerite GUILHOU, *Life of Adrienne d'Ayen, marquise de La Fayette*, Ralph Fletcher Seymour, Chicago, 1918.
Stanley IDZERDA, *La Fayette in the Age of the American Revolution*, Cornell UP, Ithaca, 1978.
Stuart W. JACKSON, *La Fayette. A Bibliography*, W. E. Rudge, New York, 1930.
James BENNET NOLAN, *Lafayette in America Day by Day*, Johns Hopkins, Baltimore, 1934.
John QUINCY ADAMS, *Life of General La Fayette*, Nafis and Cornish, New York, 1851.
Harlow Giles UNGER, *Lafayette*, John Wiley & Sons, Hoboken (New Jersey), 2002.

NOTES

INTRODUCTION

1. Louis Blanc, *Histoire de la Révolution*, 12 vol., Langlois & Leclercq, Paris, 1847, livre V, tome 5, p. 380.

2. Jules Michelet, *Histoire de la Révolution française*, 9 vol., Paris, 1877, vol. IV, livre 6, p. 202.

3. Sur ces questions, voir Abel Poitrineau, « Lafayette après Lafayette ! Le "héros des deux mondes" et la Révolution française devant l'historiographie française du XIXe siècle », in *La France et l'esprit de 76*, actes du colloque de Chavaniac-Lafayette (mai 1976), éd. Daniel Royot, publications de la faculté des lettres et sciences humaines de Clermont-Ferrand II, 1977.

4. Sur ce point, voir notamment : Philippe Olivier, *Bibliographie des travaux relatifs à Gilbert du Motier, marquis de Lafayette (1757-1834) et à Adrienne de Noailles (1759-1807)*, Institut d'études du Massif central, université de Clermont-Ferrand II, 1979, p. 68.

5. Saint-Jean-de-Luz, « Le temps de M. de La Fayette », exposition, 1962.

6. *Le Monde*, 28 décembre 2007.

7. *Ibid.*

8. « Lafayette et la guerre d'Indépendance : neuf lettres inédites », *Sources*, publication de l'université d'Orléans, Éditions Paradigme, Orléans, printemps 2004.

9. Louis Gottschalk, « Lafayette Comes to America », Livre I de *Lafayette in America*, L'Esprit de Lafayette Society, Arveyres, 1975, nouvelle préface (traduction Bernard Vincent).

10. *Ibid.*

11. Madame de Staël, *Considérations sur la Révolution française* (1818), Tallandier, Paris, 1983, p. 180.

12. Lettre de M. de Vergennes à M. le marquis de La Fayette, 24 février 1780, Archives nationales, Fonds Marine, B 4 153, Folio 5.

13. Sur cette idée d'un lien entre son caractère et son destin, voir le convaincant essai de Stanley Idzerda, « Character as Destiny : A New Look at Lafayette's Career », in *La France et l'esprit de 76, op. cit.*, p. 79-94.

14. Lafayette, *Mémoires, correspondances, et manuscrits du général Lafayette publiés par sa famille* (6 vol.), Fournier, Paris, 1837, tome I, p. 88-89.

15. Madame de Staël, *Considérations sur la Révolution française, op. cit.*, p. 181.

LAFAYETTE ET LE RÊVE D'AMÉRIQUE

1. Sur cette question de l'orthographe du nom, voir notamment : Louis Gottschalk, *Lafayette in America, op. cit.*, appendice I « Lafayette, LaFayette, or Lafayette ? », p. 153-154 (traduction Bernard Vincent).

2. René Belin, *La Fayette : la passion de la liberté*, Rivages Communication, Paris, 2012, p. 22-23.

3. Lafayette, *Mémoires...*, t. I, *op. cit.* p. 6.

4. Marion Vandal et Paul Lesourd, *Lafayette ou le sortilège de l'Amérique*, Édition Frane-Empire, Paris, 1976, p. 25.

5. Andréas Latzko, *Le Général Lafayette*, Grasset, Paris, 1935, p. 29.

6. Lafayette, *Mémoires...*, t. I, *op. cit.*, p. 7

7. Stanley Izerda, *La Fayette in the Age of the American Revolution : Selected Letters and Papers, 1776-1790*, Cornell University Press, Ithaca, 1977, vol. I, p. 389.

8. Maurice de La Fuye et Émile Albert Babeau, *La Fayette, soldat de deux patries*, Amiot-Dumont, Paris, 1953, p. 21.

9. Didier Ozanam et Michel Antoine (éd.), *Correspondance secrète du comte de Broglie avec Louis XV (1756-1774)*, t. 1, Klincksieck, Paris, 1956, CI, CVII, CIX.

10. Étienne Taillemite, *Lafayette*, Fayard, Paris 1989, p. 25-26.

11. Lettre du baron de Kalb au comte de Broglie, « À Lancastre en Pensilvanie le 24 7bre 1777 », dans Henri Doniol, *Histoire de la participation de la France à l'établissement des États-Unis d'Amérique. Correspondance diplomatiques et documents*, Imprimerie nationale, Paris, 1886-1892, vol. III, p. 226-22.

12. Bernard de Larquier, *La Fayette usurpateur du vaisseau « La Victoire »*, B. de Larquier, Surgères, 1987, p. 209.

13. Henri Doniol, *Histoire de la participation de la France..., op. cit.*, p. 202.

14. Lettre du baron de Kalb à Sileas Deane, décembre 1776, *The Deane Papers*, The Collections of the New York Society for 1886-1890, New York, 1887-1891, vol. I, p. 427.

15. Étienne Taillemite, *Lafayette, op. cit.*, p. 25-26.

16. Henri Doniol, *Histoire de la participation de la France..., op. cit.*, p. 204.

17. *Ibid.*, p. 227.

18. Fragment inédit reproduit dans Maurice de La Fuye et Émile Albert Barbeau, *La Fayette, op. cit.*, p. 12.

19. Marie-Claire Révauger, *Le Fait maçonnique au XVIIIe siècle en Grande-Bretagne et aux États-Unis*, EDIMAF, Paris 1990, p. 103 ; et « La franc-maçonnerie dans la révolution américaine : rites et idéologie », *in* Pierre Morere (éd.), *Essais sur l'idéologie*, université de Grenoble III, 1985, p. 215-216. Voir aussi : Ronald E. Heaton, *Masonic Membership of the Founding Fathers*, The Masonic Service Association, Silverspring, MD, 1974, p. 37-39.

20. Harlow Giles Unger, *Lafayette*, Wiley & Sons, Hoboken, NJ, 2002, p. 15. D'autres sources indiquent que Broglie était « membre de la loge Les Vrais amis à l'Orient de Bourbonnais Infanterie et de la R. L. "Société olympique" » (Robert Kalbach et Jean-Luc Gireaud, *L'Hermione au vent de la liberté, 1780-1990*, Éditions En Marge, Fouras, 1999, p. 122).

21. *Ibid.*

22. Lafayette, *Mémoires...*, t. I, *op. cit.*, p. 9.

23. *Ibid.*, p. 8.

24. Lettre à Vergennes écrite au camp de Whitemarsh le 24 octobre 1777, in *ibid.*, p. 109.

25. *Ibid.*, p. 132.

26. Thomas Paine, *Le Sens commun / Common Sense*, intro. et trad. B. Vincent, Aubier, « Collection bilingue », Paris, 1983.

27. Étienne Taillemite, *La Fayette, op. cit.*, p. 23.

28. Olivier Bernier, *La Fayette, héros des deux mondes*, Payot, Paris, 1988, p. 41.

29. Étienne Charavay, *Le Général La Fayette, 1757-1834*, Société de l'histoire de la Révolution française, Paris, 1898, p. 8.

30. Lafayette, *Mémoires...*, t. I, *op. cit.*, p. 11-12.

31. *Ibid.*, p. 12.

32. *Ibid.*, p. 13.

33. Voir Louis Gottschalk, *Lafayette in America*, t. I, *op. cit.*, p. 84.

34. Olivier Bernier, *La Fayette, op. cit.*, p. 45.

35. Étienne Taillemite, *La Fayette, op. cit.*, p. 27.

36. Lettre de Kalb (7 novembre 1777) à Pierre de Saint-Paul, premier secrétaire du ministère de la Guerre, (Larquier, *op. cit.*, p. 252).

37. Lafayette, *Mémoires...*, t. I, *op. cit.*, p. 13, n. 2.

38. Bernard de Larquier, *Lafayette usurpateur..., op. cit.*, p. 238.

39. *Ibid.*, p. 84.

40. Louis Gottschalk, *Lafayette in America*, t. I, *op. cit.*, p. 68.

41. Adrienne de Noailles, *Notice sur la vie de A. L. H. d'Aguesseau, duchesse d'Ayen*, repr. P. Téqui, Paris, 1994, cité *in* Olivier Bernier, *La Fayette, op. cit.*, p. 47.

42. Lafayette, *Mémoires...*, t. I, *op. cit.*, p. 15.

43. Bernard de Larquier, *Lafayette usurpateur..., op. cit.*, p. 76.

44. Lafayette, *Mémoires...*, t. I, *op. cit.*, p. 15.

45. Lettre citée dans Olivier Bernier, *La Fayette, op. cit.*, p. 55.

46. Lettre à Adrienne datée du 30 mai 1777, dans Lafayette, *Mémoires...*, t. I, *op. cit.*, p. 85.

47. Cité *in* Olivier Bernier, *La Fayette, op. cit.*, p. 53.

48. Lafayette, *Mémoires...*, t. I, *op. cit.*, p. 16.

49. *Ibid*, p. 98.

50. Étienne Taillemite, *Lafayette, op. cit.*, p. 30.

51. Lafayette, *Mémoires...*, t. I, p. 93.

52. *Ibid.*

53. *Ibid.*

54. Lafayette, *Mémoires...*, t. I, *op. cit.*, p. 89, 94.

55. Voir sur ce sujet l'essai très fouillé d'Albert Krebs in *La France et l'esprit de 76, op. cit.*

56. Olivier Bernier, *La Fayette, op. cit.*, p. 58.

57. *Ibid.*, p. 18.

58. Henri Doniol, *Histoire de la participation de la France..., op. cit.*, p. 219.

59. *Ibid.*, p. 227.
60. Lafayette, *Mémoires...*, t. I, *op. cit.*, p. 19.
61. Henri Doniol, *Histoire de la participation de la France...*, *op. cit.*, p. 227.
62. Lafayette, *Mémoires...*, t. I, *op. cit.*, p. 19.
63. *Ibid.*
64. *Ibid.*, p. 71.
65. *Ibid.*, p. 20.
66. *Ibid.*, p. 21.
67. Étienne Taillemite, *Lafayette*, *op. cit.*, p. 8.
68. Jared Sparks, *The Writings of George Washington*, Boston, 1839, vol. 5 ; et Lafayette, *Mémoires...*, t. I, *op. cit.*, p. 71-72.
69. Lafayette, *Mémoires...*, t. I, *op. cit.*, p. 25-26.
70. *Ibid.*, p. 101
71. *Ibid.*, p. 105.
72. « Lafayette et la guerre d'Indépendance : neuf lettres inédites », *Sources*, *op. cit.*, p. 41-42.
73. Olivier Bernier, *La Fayette*, *op. cit.*, p. 74.
74. Lafayette, *Mémoires...*, t. I, *op. cit.*, p. 133.
75. *Ibid.*, p. 236-239.
76. *Journals of the Continental Congress*, 34 vol., Library of Congress, Washington, 1904-1937, vol. 11, p. 615.
77. Lettre à Adrienne en date du 6 janvier 1778, *in* Lafayette, *Mémoires...*, t. I, *op. cit.*, p. 143.
78. *Ibid.*, p. 147.
79. Lettre au duc d'Ayen, 7 décembre 1777, *in* Lafayette, *Mémoires...*, t. I, *op. cit.*, p. 134.
80. Lettre au duc d'Ayen, 16 décembre 1777, *in* Lafayette, *Mémoires...*, t. I, *op. cit.*, p. 131-132.
81. Cité par Bernard Faÿ, *La Franc-maçonnerie et la Révolution intellectuelle au* XVIIIe *siècle* (1935), Librairie française, Paris, 1983, p. 171.

PREMIER RETOUR EN FRANCE

1. Lafayette, *Mémoires...*, t. I, *op. cit.*, p. 137.
2. *Ibid.*, p. 139.
3. *Ibid.*, p. 140, 141.

4. *Ibid.*, p. 41. Voir également Marcel Trudel, « Projet d'invasion du Canada au début de 1778 : Lafayette, commandant en chef du corps expéditionnaire », *Revue d'histoire de l'Amérique française*, vol. II, n° 2, p. 163-184.

5. Lettre à Broglie, 11 septembre 1778, *in* « Lafayette et la guerre d'Indépendance : neuf lettres inédites », *Sources, op. cit.*, p. 47.

6. Lettre à Broglie du 11 septembre 1778, de Bristol près de Rhode Island. *Sources, op. cit.*, p. 49-50.

7. Philippe Bourdin (éd.), *Lafayette entre deux mondes*, Presses universitaires Blaise-Pascal, Clermont-Frerrand, 2009, p. 32.

8. *Ibid.*, p. 50.

9. *Ibid.*, p. 48-49.

10. Lafayette, *Mémoires...*, t. I, *op. cit.*, p. 61-62.

11. Étienne Taillemite, *Lafayette, op. cit.*, p. 63.

12. Lafayette, *Mémoires...*, t. I, *op. cit.*, p. 218.

13. *Ibid.*, p. 177-178.

14. *Ibid.*, p. 342.

15. Cité dans Marion Vandal et Paul Lesourd, *Lafayette ou le sortilège de l'Amérique, op. cit.*, p. 102.

16. Lettre non datée, dans Lafayette, *Mémoires...*, t. I, *op. cit.*, 247.

17. Étienne Taillemite, *Lafayette, op. cit.*, p. 63.

18. *Ibid.*, p. 64.

RETOUR DANS LE NOUVEAU MONDE

1. *Ibid.*

2. René Belin, *La Fayette : la passion de la liberté, op. cit.*, p. 64.

3. *Ibid.*

4. Archives de la Marine à Rochefort, cote 3 A13, folio 52.

5. Archives de la Marine à Rochefort, cote 1 A 49, folio 106.

6. *Ibid.*

7. Robert Kalbach et Jean-Luc Gireaud, L'Hermione..., *op. cit.*, p. 41.

8. Lafayette, *Mémoires...*, t. I, *op. cit.*, p. 327-330.

9. Archives nationales, Fonds Marine, cote B4 153, folio 5.

10. René Belin, *La Fayette : la passion de la liberté, op. cit.*, p. 56.

11. Lafayette, *Mémoires...*, t. I, *op. cit.*, p. 331.

12. Archives privées. Cité par André Maurois, *Adrienne ou la vie de Madame de La Fayette*, Hachette, Paris, 1960, p. 119.

13. « Lafayette et la guerre d'Indépendance : neuf lettres inédites », *Sources*, *op. cit.*, p. 57-60.

14. François Jean de Chastellux, *Voyages de M. le Mis de Chastellux dans l'Amérique septentrionale dans les années 1780, 1781 et 1782* (2 vol., 1786), Tallandier, Paris, 1980, p. 108. Cité dans Étienne Taillemite, *Lafayette*, *op. cit.*, p. 82.

15. Lafayette, *Mémoires...*, t. I, *op. cit.*, p. 377, 381-382.

16. *Ibid.*, p. 408.

17. Voir François Caron, *La guerre incomprise ou la victoire volée. Bataille de la Chesapeake, 1781*, Service historique de la Marine, Vincennes, 1989, p. 349, note 1.

18. Lettre à Broglie du 2 février 1781, « Lafayette et la guerre d'Indépendance : neuf lettres inédites », *Sources*, *op. cit.*, p. 63.

19. Lafayette, *Mémoires...*, t. I, *op. cit.*, p. 395, 396.

20. Étienne Taillemite, *Lafayette*, *op. cit.*, p. 84 ; et Bernard Vincent, *Thomas Paine ou la religion de la liberté*, *op. cit.*, p. 131-132.

21. René Belin, *La Fayette : la passion de la liberté*, *op. cit.*, p. 60.

22. *Ibid.*

23. B. Vincent (éd.), *Histoire des États-Unis*, Flammarion, Paris, 2012, p. 79.

24. René Belin, *La Fayette : la passion de la liberté*, *op. cit.*, p. 87.

25. *Ibid.*, p. 86.

UNE LONGUE PARENTHÈSE EUROPÉENNE

1. René Belin, *La Fayette : la passion de la liberté*, *op. cit.*, p. 62.

2. *Ibid.*

3. Lafayette, *Mémoires...*, t. I, *op. cit.*, p. 273.

4. René Belin, *La Fayette : la passion de la liberté*, *op. cit.*, p. 92-93.

5. Maurice Tourneux, *Correspondance littéraire, philosophique et critique par Grimm, etc.*, Garnier, Paris, 1878, t. XIV, p. 26.

6. Robin A. Waterfield, *Hidden Depths : The Story of Hypnosis*, Routledge, Londres, 2003, p. 133.

7. Étienne Taillemite, *Lafayette*, *op. cit*, p. 116.

8. *Correspondance et écrits de Washington*, publiés d'après l'édition américaine, préface de M. Guizot, Charles Gosselin, Paris, 1890, p. 75.

9. Cité dans Étienne Taillemite, *Lafayette, op. cit.*, p. 118.
10. Cité dans René Belin, *La Fayette : la passion de la liberté, op. cit*, p. 72.
11. *Ibid.*
12. Étienne Taillemite, *Lafayette, op. cit*, p. 127.
13. *Ibid.*, p. 74.
14. Jacques Poujal, *Monsieur Rabaut de Saint-Étienne saisi par la Révolution*, Persée, Paris, 1989, p. 37.
15. *Ibid.*, p. 75.
16. *Ibid.*, p. 76.
17. Albert Kreps, *La France et l'esprit de 76, op. cit.*, p. 100.
18. Étienne Taillemite, *Lafayette, op. cit.*, p. 179.
19. *Ibid.*
20. Étienne Taillemite, *Lafayette, op. cit.*, p. 177.
21. *Ibid.*, p. 178.
22. *Moniteur universel*, 20 juin 1789, p. 48.
23. Michèle Ressi, *L'Histoire de France en 1 000 citations*, Eyrolles, Paris, 2011, p. 189.
24. René Belin, *La Fayette : la passion de la liberté, op. cit.*, p. 81.
25. Étienne Taillemite, *Lafayette, op. cit.*, p. 243.
26. Bernard Vincent, *Louis XVI*, Gallimard, Folio Biographies, Paris, 2006, p. 269.
27. Étienne Taillemite, *Lafayette, op. cit.*, p. 250.
28. Jean-Christian Petitfils, *Louis XVI*, Perrin, Paris, 2005.
29. Bernard Vincent, *Louis XVI, op. cit.*, p. 285-286.
30. René Belin, *La Fayette : la passion de la liberté, op. cit.*, p. 104.
31. André Chénier, *Œuvres en prose*, La Pléiade, Paris, 1940, p. 111.
32. Étienne Taillemite, *Lafayette, op. cit.*, p. 310.
33. Compte rendu de la séance du 20 avril 1792. *La Vie et les Mémoires du général Dumouriez*, Tastu, Paris, 1822, p. 437.
34. Étienne Taillemite, *Lafayette, op. cit.*, p. 322-323.
35. Lafayette, *Mémoires...*, t. III, *op. cit.*, p. 330.
36. *Ibid.*, p. 381-385.
37. Étienne Taillemite, *Lafayette, op. cit.*, p. 354.
38. *Ibid.*, p. 355.
39. *Ibid.*
40. René de Chambrun, *Les Prisons des La Fayette*, Perrin, Paris, 1977, p. 107.

41. Étienne Taillemite, *Lafayette*, *op. cit.*, p. 362.
42. Gonzague Saint Bris, *La Fayette*, Télémaque, Paris, 2006, p. 290.
43. *Ibid.*, p. 364.
44. Gonzague Saint Bris, *La Fayette*, *op. cit.*, p. 282.
45. Olivier Bernier, *La Fayette*, *op. cit.*, p. 291.
46. *Ibid.*, p. 366.
47. Étienne Taillemite, *Lafayette*, *op. cit.*, p. 376.
48. Gonzague Saint Bris, *La Fayette*, *op. cit.*, p. 373.
49. René de Chambrun, *Les Prisons de La Fayette*, *op. cit.*, p. 290.
50. *Ibid.*, p. 290-291.
51. Lafayette, *Mémoires...*, t. IV, *op. cit.*, p. 381 et 384.
52. Étienne Taillemite, *Lafayette*, *op. cit.*, p. 383.
53. René de Chambrun, *Les Prisons de La Fayette*, *op. cit.*, p. 295.
54. Lafayette, *Mémoires...*, t. IV, *op. cit.*, p. 395.
55. Étienne Taillemite, *Lafayette*, *op. cit.*, p. 385.
56. René de Chambrun, *Les Prisons de La Fayette*, *op. cit.*, p. 299.
57. Étienne Taillemite, *Lafayette*, *op. cit.*, p. 389.
58. *Correspondance inédite de La Fayette*, éd. Jules Thomas, Delagrave, Paris, 1903, p. 373-375.
59. Étienne Taillemite, *Lafayette*, *op. cit.*, p. 391.
60. Patrick Poivre d'Arvor, *J'ai aimé une reine*, Fayard, Paris, 2003, p. 365.
61. René Belin, *La Fayette : la passion de la liberté*, *op. cit.*, p. 108-109.
62. Gonzague Saint Bris, *Lafayette*, *op. cit.*, p. 302.
63. René Belin, *La Fayette : la passion de la liberté*, *op. cit.*, p. 110-111.
64. *Ibid.*, p. 121.
65. Gonzague Saint Bris, *Lafayette*, *op. cit.*, p. 300-301.
66. René de Chambrun, *Les Prisons de La Fayette*, *op. cit.*, p. 330.
67. *Ibid.*, p. 335.
68. Étienne Taillemite, *Lafayette*, *op. cit.*, p. 412.
69. Dans Philippe Bourdin (éd.), *Lafayette entre deux mondes*, *op. cit.*, p. 127.
70. http://fr.wikipedia.org/wiki/Jacques-Antoine_Manuel#Vie_politique

L'APOTHÉOSE AMÉRICAINE

1. Lafayette, *Mémoires...*, t. VI, *op. cit.*, p. 387-390.
2. Étienne Taillemite, *Lafayette, op. cit.*, p. 469.

SUITE ET FIN

1. http://fr.wikipedia.org/wiki/Adresse_des_221
2. René Belin, *Lafayette : la passion de la liberté, op. cit.*, p. 112-113.
3. Cité par Guy Antonetti, in *Louis-Philippe*, Fayard, Paris, 2002, p. 638.
4. Lafayette, *Mémoires...* t. VI, *op. cit.*, p. 753-757.
5. François-René de Chateaubriand, *Mémoires d'outre-tombe*, t. X, LIII, chapitre 3, Gallimard, Bibliothèque de La Pléiade, 1969, p. 876.
6. http://chrisagde.free.fr/bourb/l16hommes.php3?page=25
7. Joseph Delteil, *La Fayette*, Grasset, Paris, 1928, chapitre VIII.
8. Étienne Taillemite, *Lafayette, op. cit.*, p. 520.
9. *Ibid.*, p. 532.
10. Lafayette, *Mémoires...*, t. III, *op . cit.*, p. 245.
11. *Ibid.*, t. II, p. 308.
12. *Ibid.*, t. VI, p. 751.
13. *Ibid.*, t. VI, p. 521.
14. *Le National*, 21 mai 1834. Voir Étienne Chavaray, *Le Général La Fayette*, Paris, 1898, p. 513.

ANNEXES

FOLIO BIOGRAPHIES

Alain-Fournier, par ARIANE CHARTON
Alexandre le Grand, par JOËL SCHMIDT
Lou Andreas-Salomé, par DORIAN ASTOR
Attila, par ÉRIC DESCHODT. Prix « Coup de cœur en poche 2006 » décerné par *Le Point*.
Bach, par MARC LEBOUCHER
Joséphine Baker, par JACQUES PESSIS
Balzac, par FRANÇOIS TAILLANDIER
Baudelaire, par JEAN-BAPTISTE BARONIAN
Beethoven, par BERNARD FAUCONNIER
Sarah Bernhardt, par SOPHIE AUDE PICON
Bouddha, par SOPHIE ROYER
James Brown, par STÉPHANE KOECHLIN
Maria Callas, par RENÉ DE CECCATTY
Calvin, par JEAN-LUC MOUTON
Camus, par VIRGIL TANASE
Le Caravage, par GÉRARD-JULIEN SALVY
Casanova, par MAXIME ROVERE
Céline, par YVES BUIN
Jules César, par JOËL SCHMIDT
Cézanne, par BERNARD FAUCONNIER. Prix de la biographie de la ville d'Hossegor 2007.
Chaplin, par MICHEL FAUCHEUX
Chopin, par PASCALE FAUTRIER
Churchill, par SOPHIE DOUDET
Cléopâtre, par JOËL SCHMIDT
Albert Cohen, par FRANCK MÉDIONI
Colette, par MADELEINE LAZARD
Christophe Colomb, par MARIE-FRANCE SCHMIDT
Joseph Conrad, par MICHEL RENOUARD

Marie Curie, par JANINE TROTEREAU
Darwin, par JEAN-NOËL MOURET
Alexandra David-Néel, par JENNIFER LESIEUR
James Dean, par JEAN-PHILIPPE GUERAND
Debussy, par ARIANE CHARTON
Dickens, par JEAN-PIERRE OHL
Diderot, par RAYMOND TROUSSON
Marlene Dietrich, par JEAN PAVANS
Dostoïevski, par VIRGIL TANASE
Churchill, par SOPHIE DOUDET
Albert Einstein, par LAURENT SEKSIK
Fellini, par BENITO MERLINO
Flaubert, par BERNARD FAUCONNIER
Freud, par RENÉ MAJOR et CHANTAL TALAGRAND
Gandhi, par CHRISTINE JORDIS. Prix du livre d'histoire de la ville de Courbevoie 2008.
Federico García Lorca, par ALBERT BENSOUSSAN
De Gaulle, par ÉRIC ROUSSEL
Geronimo, par OLIVIER DELAVAULT
George Gershwin, par FRANCK MÉDIONI
Goethe, par JOËL SCHMIDT
Goya, par MARIE-FRANCE SCHMIDT
Jimi Hendrix, par FRANCK MÉDIONI
Billie Holiday, par SYLVIA FOL
Victor Hugo, par SANDRINE FILLIPETTI
Ibsen, par JACQUES DE DECKER
Jésus, par CHRISTIANE RANCÉ
Janis Joplin, par JEAN-YVES REUZEAU
Kafka, par GÉRARD-GEORGES LEMAIRE
Gene Kelly, par ALAIN MASSON
Kennedy, par VINCENT MICHELOT
Kerouac, par YVES BUIN
Lafayette, par BERNARD VINCENT

Lapérouse, par ANNE PONS
Lawrence d'Arabie, par MICHEL RENOUARD
Franz Liszt, par FRÉDÉRIC MARTINEZ
Louis XIV, par ÉRIC DESCHODT
Louis XVI, par BERNARD VINCENT
Auguste et Louis Lumière, par MICHEL FAUCHEUX
Machiavel, par HUBERT PROLONGEAU
Man Ray, par SERGE LOPEZ
Magritte, par MICHEL DRAGUET
Maupassant, par FRÉDÉRIC MARTINEZ
Bob Marley, par JEAN-PHILIPPE DE TONNAC
Michel-Ange, par NADINE SAUTEL
Mishima, par JENNIFER LESIEUR
Modigliani, par CHRISTIAN PARISOT
Molière, par CHRISTOPHE MORY
Marilyn Monroe, par ANNE PLANTAGENET
Mermoz, par MICHEL FAUCHEUX
Moïse, par CHARLES SZLAKMANN
Jim Morrisson, par JEAN-YVES REUZEAU
Mozart, par JEAN BLOT
Musset, par ARIANE CHARTON
Napoléon, par PASCALE FAUTRIER
Nerval, par GÉRARD COGEZ
Nietzsche, par DORIAN ASTOR
Pasolini, par RENÉ DE CECCATTY
Pasteur, par JANINE TROTEREAU
Édith Piaf, par ALBERT BENSOUSSAN
Picasso, par GILLES PLAZY
Marco Polo, par OLIVIER GERMAIN-THOMAS
Louis Renault, par JEAN-NOËL MOURET
Rimbaud, par JEAN-BAPTISTE BARONIAN. Prix littéraire 2011 du parlement de la Fédération Wallonie Bruxelles.
Robespierre, par JOËL SCHMIDT

Rousseau, par RAYMOND TROUSSON

Saint-Exupéry, par VIRGIL TANASE. Prix de la biographie de la ville d'Hossegor 2013.

George Sand, par MARTINE REID. Prix Ernest Montusès 2013.

Mme de Sévigné, par STÉPHANE MALTÈRE

Shakespeare, par CLAUDE MOURTHÉ

Stendhal, par SANDRINE FILLIPETTI

Jacques Tati, par JEAN-PHILIPPE GUERAND

Tchekhov, par VIRGIL TANASE

Toussaint Louverture, par ALAIN FOIX

Jules Vallès, par CORINNE SAMINADAYAR-PERRIN

Van Gogh, par DAVID HAZIOT. Prix d'Académie 2008 décerné par l'Académie française (fondation Le Métais-Larivière).

Verdi, par ALBERT BENSOUSSAN

Verlaine, par JEAN-BAPTISTE BARONIAN

Boris Vian, par CLAIRE JULLIARD

Léonard de Vinci, par SOPHIE CHAUVEAU

Wagner, par JACQUES DE DECKER

Andy Warhol, par MERIAM KORICHI

Oscar Wilde, par DANIEL SALVATORE SCHIFFER

Tennessee Williams, par LILIANE KERJAN, prix du Grand Ouest des écrivains de l'Ouest 2011.

Virginia Woolf, par ALEXANDRA LEMASSON

Stefan Zweig, par CATHERINE SAUVAT

Composition APS
Impression Maury Imprimeur
45330 Malesherbes
le 23 avril 2014.
Dépôt légal : avril 2014.
Numéro d'imprimeur : 189627.

ISBN 978-2-07-045161-6. / Imprimé en France.

249592